GEORGES-ARTHUR
GOLDSCHMIDT

À l'insu de Babel

CNRS EDITIONS
15 rue Malebranche | 75005 Paris

Pour la Baleine, évidemment.

Avant-propos

Le langage de l'homme s'exprime par toutes les langues, qui, chacune, renvoient l'une à l'autre, sans s'épuiser. Toutes, à force de passé, portent le futur. Des milliards d'êtres sont détenteurs de parole et tous en sont à la fois le sujet, ce sont eux qui parlent ou vont parler et l'objet, le langage les fait parler et parle d'eux, ils en héritent et peuvent à peine le changer. Le langage transmis a en permanence été transformé, jugulé, encadré par les pouvoirs politiques ou religieux qui ne cessèrent de vouloir l'« épurer ».

Le vingtième siècle européen dans son essence même, fut, on le sait, celui des « purifications » : les génocides, guerres, persécutions de toute sorte, exterminations de populations entières se succédèrent et des langues même en furent compromises. Jamais des régimes politiques meurtriers, tels le nazisme ou le stalinisme, ne s'en prirent autant aux langues qu'ils tentèrent de régimenter, de violer et d'annexer. Le cauchemar de la « novlangue » de George Orwell n'a pas par hasard été rêvé au XXe siècle.

L'allemand, en particulier, fut victime de ce qu'on a nommé la LTI, la *lingua tertii imperii*, la langue du Troisième Reich, celle par laquelle fut organisé le crime absolu et dont elle fut le nécessaire instrument: la shoah et l'euthanasie des malades mentaux ne purent se mettre en place que grâce à elle. Jusqu'à aujourd'hui la langue allemande ne s'en est pas entièrement remise, gangrenée qu'elle fut.

Les langues se prêtent aux manipulations par les publicités ou les divers jargons, ainsi le français, par la LQI, la *Lingua Quintae Respublicae**, la langue de la propagande technocratique et administrative contemporaine. À partir de 2005, l'allemand fut l'objet d'une réforme orthographique inventée pour de douteuses raisons « pédagogiques » et commerciales, qui en a détruit d'importantes zones de sens.

Mais il se trouve que le langage humain est ainsi fait qu'il échappe aux emprises de toute sorte. Jamais aucune dictature politique ne fera taire les oppositions, les critiques, la satire, la dérision et pourtant les pouvoirs ne rêvent que de détourner les langues.

En dernier ressort, et ce sera l'objet de ce petit livre, le langage humain restera insaisissable, inaccessible aux contraintes politiques, idéologiques de toute sorte. Les déportés du Goulag tels Varlam Chalamov l'ont emporté avec eux dans l'irréductibilité de leur personne. Relisons Robert Antelme. Le langage humain appartient à qui le parle et les réglementations n'y feront rien, pas plus que la mécanisation informatique ou les divers processus techniques. Il y aura toujours des méprises, des erreurs de compréhension, des pataquès, des déplacements et de glissements de sens, des vides et des manques par lesquels s'infiltrent le doute et heureusement le « mauvais esprit ». Le langage permettra toujours de mettre en doute les autorités, les proclamations et les adhésions de toute sorte qui n'ont pu se proclamer que par lui. La destination ultime du langage, si toutefois on peut en supposer une, est de le mettre en doute au moyen de lui-même, de ne pas succomber à ses façons de dire, de ne pas se laisser faire par le « sens » imposé. Aucune langue n'est définitive et toutes montrent qu'on n'en a jamais fini avec elles, leur champ les dépasse toutes puisque chaque être humain leur échappe en tant qu'il est celui qui parle. Elles sont à la fois l'objet de toutes les dérives qu'elles seules sont en mesure de faire voir.

Le langage est là comme pour faire voir ses propres faiblesses, ses accumulations de clichés ou de mensonges tout faits, ses défaillances qui le font être. Toute langue a toujours de la réserve en avant d'elle-même, elle peut toujours en dire plus qu'elle n'en dit. Les autres langues la révèlent à elle-même d'avoir ce qu'elle n'a pas et l'inverse. C'est pourquoi toute langue en appelle à une autre, ne fût-ce que pour révoquer en doute les autorités arbitraires et les raideurs acquises.

* Voir Eric Hazan, *LQR La novlangue du néolibéralisme*, Raisons d'agir Editions, Paris, 2006.

Prologue

« On parle de ce qu'on ne peut pas dire. »
Jean-Jacques Poumet

Il s'agit ici de tenter de cerner le fait de langue tel qu'il se présente à un « locuteur » quelconque, en l'occurrence l'auteur de ces pages à travers la confrontation de deux langues parlées depuis l'enfance, la langue « sucée avec le lait de la nourrice », comme le dit Chateaubriand dans les *Mémoires d'Outre-tombe* et celle « apprise » presque parallèlement, de manière instinctive par corps et gestes… De langue en langue, tout est autre et tout est même. La langue première fut la langue de l'éveil et de l'émerveillement, des toutes premières impressions, ineffaçables : elle fut celle des découvertes fondatrices, mais celle aussi de l'expulsion et de l'exil, celle au moyen de laquelle fut mise en place la Shoah.

L'autre fut celle de l'accueil, de la préservation et de l'accomplissement.

La confrontation se limitera donc à ces deux langues, le français et l'allemand, les deux langues « maternelles » en question. On s'interdira tout recours, si bref soit-il, à toute autre langue puisqu'il n'y a pas possession instinctive ou corporelle d'aucune autre. Mais les deux langues, le français et l'allemand, depuis plus de soixante-dix ans, ne cessent d'habiter celui qui écrit ces lignes, ne cessent de partager et de réunir, à la fois, les dimensions intimes de l'existence quotidienne.

Qui parle debout, assis, couché, à pied ou en voiture, le fait quelque part. Toute parole est issue d'un emplacement et va quelque part. Ce qu'on dit est entendu par autrui, à une certaine distance. Toute langue prend place, forme et volume dans l'espace, c'est ce que ne cesse de nous redire, par exemple, la langue allemande tout entière vouée à l'expression sonore et visuelle de l'espace.

Le « lieu » allemand peut avoir joué un rôle dans l'élaboration de cette langue qui se donne tout au long du XIXe siècle pour une langue première, tant chez le philosophe Fichte que chez bien des philologues de cette époque qui se sont efforcés de démontrer les « racines » du vocabulaire allemand immédiatement issues d'un prétendu indo-européen dénommé en allemand indo-germanique. L'allemand donne pour des raisons qui seront effleurées au cours de ces pages, l'apparence d'un contact intime, direct avec la réalité dont on se demande, à chaque fois si elle est *Wirklichkeit* ou *Realität,* réalité concrète ou réalité psychique.

Il s'agit ici d'une description qui tentera de faire voir comment l'allemand peut se situer dans l'espace intime et comment il situe cet espace intime dans le *Weltbild,* dans l'image du monde, dans le monde, en somme, qui entoure chacun.

La langue allemande, tout autrement que le français repose sur des stations très précises, sur des indications matérielles, sur des articulations qui impliquent le corps de façon élémentaire, comme s'il n'était pas possible de parler sans lui. Mais c'est aussi un corps descriptif auquel manque souvent la consistance érotique et sensible. De plus la délimitation relative des acceptions, leur exactitude concrète peut favoriser une tendance allemande à ne rien faire à moitié, à aller jusqu'au bout, jusqu'au fond des choses (*Grund, gründlich*) sans pouvoir s'arrêter en chemin.

Le français par opposition est une langue qui élude tout ce que souligne l'allemand, puisque chacun vit dans l'évidence du monde. Le français, bien plus que l'allemand, et ceci pour des raisons historiques, est une langue du consensus, de l'accord qui depuis le XVIe siècle se dispense de dire un certain nombre de choses. C'est une langue de civilisation construite là où l'allemand est une langue d'immédiat et de nécessité, de contact avec le réel concret.

Pour résumer de façon paradoxale et volontairement provocante, pour mieux faire voir ce qui est en question, l'allemand est une langue de la précarité, de la survie, du monde immédiat, là où le français est déjà une langue urbaine, débarrassée du souci de la survie immédiate, une langue du trottoir contre une langue du chemin de campagne et ceci pour des raisons purement historiques : il n'y a pas eu en Allemagne de pouvoir centralisé transformant la langue du pouvoir en langue du peuple.

Leibniz avait dans un livre aujourd'hui traduit en français, *Pensées sans préalable pour l'amélioration de la langue allemande**, insisté sur le fait que l'absence de capitale avait empêché le développement d'une véritable langue politique.

---

* Leibniz, *l'Harmonie des langues*, présenté, traduit et annoté par Marc Crépon, Paris, Points-Seuil, 2000.

Explorations de la langue

La parole d'avant de parler

Tout commence avant la parole, c'est-à-dire que tout commence par la traduction de ce qui ne fut point encore formulé, mais qui disparaît d'être traduit en mots. Toute langue est au départ traduction. Or, on ne traduit que pour mettre en mots. Toute traduction est la tentative, toujours échouée, de faire qu'un texte soit le même dans l'autre langue. Cela ne marche jamais jusqu'au bout, il y a toujours quelque chose qui ne passe pas et tout est toujours à recommencer. De plus, la parole et le texte sont là, dans leur langue d'origine, tout à côté, toujours à traduire, tels quels et qui diront toujours ce qu'ils disent, même si leur sens échappe, ils sont à la disposition de qui veut entendre ou lire, toujours à la disposition de leur propre vérité. Il en est ainsi de langue en langue. Cela résiste toujours : jamais le français ne sera de l'allemand, jamais le néerlandais ne sera du hongrois. Toute langue est sa résistance à la traduction, sa fermeté, face à la langue de transposition et pourtant cette langue d'accueil traduira le *sens* de ce qui est dit dans la langue de départ. Tout ce qu'on dit dans une langue se dit aussi dans une autre car les langues sont *l'« autrement » du même*.

Le linguistique

Toute langue, de plus, est sa propre résistance à sa traduction en son explicite, à ceci près que son « implicite » n'existe qu'explicite, il n'y a d'avant qu'après. Ce que la langue récuse ou refuse, il n'y a qu'elle pour le montrer, c'est « en » elle qu'on dit qu'elle ne le peut pas, il n'y a qu'elle pour dire ses défaillances. Pour que la langue dise, pour qu'on l'*entende* (au sens ancien du mot), il faut du linguistique, lui seul nous dit qu'il y a de « l'implicite ». Le vouloir dire se termine dans le dit de la langue. Ce qu'on a voulu dire n'existe que dans son après, une fois devenu langue, lorsqu'il est trop tard. C'est mon intime qui devient ex-time car chacun le sait bien, on ne peut prendre les mots pour moi. C'est bien pourquoi chacun est autorisé à parler de la langue de tout le monde. Chacun ne peut pas parler de tout, mais chacun peut parler de la langue (sans autorisation des linguistes). Toute langue est aussi ce qui en elle est commun à toutes les autres, c'est-à-dire qu'elle est universellement traduisible en toutes les autres langues. Simplement elles s'y expriment autrement.

En d'autres termes, ce qui sauve le langage, c'est qu'il y ait tant de langues, c'est que tout soit toujours à recommencer, à retraduire. Or, rien que le jeu entre *langage* et *langue* par exemple n'est pas possible en allemand : pour traduire langage et langue, il n'y a qu'un seul mot *die Sprache* , ou si l'on veut *Das Sprechen* , le fait de parler. C'est la diversité des possibles qui prouve ce « linguistique » qui fait passer de l'un à l'autre, sans qu'elle, la langue « passe » pour autant. Depuis toujours, aussi loin qu'on puisse remonter dans le temps, il y a toujours eu traduction, au point qu'on peut se demander, s'il y a jamais eu autre chose. Existe-il de la langue sans traduction ? Peut-on imaginer de langue sans traduction ? C'est ce qui reste en suspens, toujours en attente d'être dit qui est le tissu même du linguistique. Il n'y a de langue que non dite encore. Les langues sont en avant d'elles-mêmes. Une langue morte n'est plus en attente de son « encore ». Or, ce qu'on écoute dans une langue, c'est ce qu'elle suscite, ce qu'elle n'a pas encore dit, c'est moi en avant de ce que je vais dire.

Les mots traduisent la parole de l'homme et dès l'abord, rien ne va plus, alors que tout est si simple. *Die Wörter übersetzen das Wort des Menschen* (les mots traduisent la parole de l'homme) et d'un coup l'impossible est réciproque. L'allemand n'a qu'un seul mot pour dire, à la fois, mot et parole (*Wort*), mais pour désigner l'être humain, il ne lui faut qu'un seul mot que le français n'a pas (*der Mensch*). Quelle que soit l'approche, dès l'abord, tout est différent d'une langue à l'autre. Il y a de l'irréductible, c'est de quoi les langues sont faites ou plutôt, c'est de cela qu'elles proviennent, mais entre les langues, il y a celui qui les comprend et les parle, celui par qui le « sens » se fait et qui fera entendre son comprendre, c'est-à-dire traduira. Lui, le « traducteur », restera toujours préservé des langues, il sait qu'il n'y arrive pas tout à fait et c'est sa garantie d'humanité : n'en avoir jamais fini.

Un manque originel

Au commencement était le verbe, dit le français. « *Im Anfang war das Wort* », dit l'allemand[1], une fois encore le même *Wort* et pourtant personne ne s'y trompe. Le verbe, la parole, le mot, *das Wort* se traduit tantôt par l'un, tantôt par l'autre. Qu'est-ce à dire ?

Mais il y a plus frappant encore, le langage commence par un trou, par un manque décisif. Il est à lui-même incomplet, puisque appelant la traduction, il « implique » de l'ailleurs, de l'autrement. S'il n'avait d'abord été parole, il ne se serait pas multiplié en langues. S'il y avait langue du paradis, elle recouvrirait le champ linguistique entier et il n'y aurait pas de multiples langues, il n'y aurait pas de langue du tout, mais du paradis. C'est une *défaillance* originelle qui fonde le langage sans laquelle il ne serait pas. Cette « défaillance » est la refente, la *Spaltung*, comme dit l'allemand, qui établit le langage, c'est-à-dire le non-conforme avec « la nature ».

Sans vouloir entrer de façon plus ou moins arbitraire et prétentieuse dans les grandes considérations universalistes, on peut affirmer qu'à partir de la fin du XVIe siècle, s'est mise en place une transformation de plus en plus profonde de la relation de l'homme au monde qui l'entoure.

Sur ce point les travaux, de Hans Blumenberg à Hans Jonas ou de Foucault à Norbert Elias ne manquent pas. On est passé, dirait-on, d'un stade constatatif, le monde est tel qu'il est, à un stade explicatif, comment est le monde. La philosophie et les théologies le savaient depuis bien longtemps. La mort de Dieu, telle que la définissent Heine (« on apporte les derniers sacrements à un Dieu mourant ») et Nietzsche (Dieu est mort) n'exprimait peut-être rien d'autre que l'impossibilité d'atteindre l'essence des choses par le langage.

Soudain, ce changement dans la lisibilité[2] du monde met à nu la véritable nature du langage. Non seulement le langage n'a pas pour fonction de représenter le réel, mais par nature il est en décalage, il ne coïncide pas avec ce qu'il est censé dire. Le langage est ce qui ne colle pas, il est ce qui boîte, alors que jusque-là on le croyait sur parole. S'il y a langage, c'est qu'il y a séparation (*Spaltung*). La « refente » était dans la nature du langage, mais restait invisible, tant que la pensée d'harmonie n'était pas remise en cause.

La modernité n'a pas infléchi le langage, mais en a révélé la fonction profonde telle que l'expriment, au même moment, à la fois, de façon radicale, Freud, Wittgenstein et Kafka. Il n'y a donc pas rigoureuse coïncidence entre les langues et ce qu'elles veulent dire, c'est en somme ce que nous enseigne la modernité. Le langage renvoie chaque homme à lui-même et la langue ne l'aide pas à se débrouiller en société, comme l'allemand, en raison de son histoire – d'où une certaine détresse propre à cette langue. Autre cas, le français, lui, accorde, du fait de son passé, un extraordinaire entregent. Ainsi les Français voient l'enfer à travers une vitre pare-balles, tandis que les Allemands y plongent.

L'intime ?

Je suis celui qui ne se nomme qu'au travers du langage des autres. S'il y a langage, c'est que celui qui parle ne disparaît ni n'apparaît comme tel avec ce qu'il dit. Sa langue était là, bien avant lui et sera là bien après lui. Tel qu'il est, il se trouve, soudain, placé en pleine histoire, au milieu des autres, au sein d'un creux qui ne fut pas encore occupé en tant qu'il est le sien et pour cette raison donne lieu au langage. J'occupe une place qui jusque-là n'existait pas, en tant que mienne, d'une manière ou d'une autre. *Je parle, mais ne peux me dire.* L'étonnant est bien dans cette rencontre entre le plus intime (le soi) et le plus anonyme (le langage). Je n'ai pour m'exprimer que ce qui appartient à tout le monde, ce qui, à la fois, prouve que je suis homme, que je suis comme tout le monde et que je ne puis rien dire par le langage de mon être-moi, comme si le langage avait pour fonction de parler de tout, mais pas de celui qui le parle.

L'extraordinaire aventure du langage est bien là, dans le choc entre le plus intime et le plus anonyme.

Seule l'impropriété du langage à mon intimité en rend compte. Seul l'absolu anonymat du langage de tout le monde préserve mon être-moi. Ce qui me sauve, c'est d'être indémontrable tout comme le langage lui-même. J'ai beau répéter ma phrase, elle n'en restera pas moins cette phrase. Seule la traduction peut vérifier son contenu. Je peux exécuter matériellement ce que dit la langue : « prends la chaise » et je prends la chaise, mais je ne peux par la langue me faire entendre autrement. Je ne dispose pas d'autres moyens, mais rien ne me garantit que je me fasse comprendre. Or la traduction justement, met en clair, selon un autre système de signes conventionnels (tout en le manquant dans une certaine mesure), ce vouloir- dire. Je peux faire vérifier ma traduction par d'autres. L'autre langue me confirme la mienne.

Ce sont les autres qui me donnent mon nom et qui me nomment, en tant que tel, je ne me nomme pas, je me reconnais sans qu'on me nomme, je me sais sans mon nom, mais je ne sais mon nom que parce qu'on me nomme. Comme l'écrivait en 1911, le grand poète allemand Christian Morgenstern, l'un des ancêtres méconnus du surréalisme : « *Qui donc s'appelle ? On le nomme*[3] ». Ce qu'on dénomme précède la dénomination mais n'apparaît qu'avec elle.

La « conscience » cartésienne n'est pas autre chose, elle est ce point zéro sans nom et qui les rend tous possibles, à part le sien. S'il n'y avait pas ce savoir de soi qui ne contient que ce savoir innommé, il n'y aurait pas de langage. Je sais que je parle, il n'y a langage que par ce savoir. Le langage part d'un

pouvoir de dénomination qui lui est toujours antérieur. Le langage est au creux de lui-même, il est
issu du vide, un vide qui me fait dire, il est vide, son
contenu, c'est *nous* qui l'y mettons, il n'est jamais ce
dont il parle.

Le parcours du sens

En quoi donc la parole parle-t-elle avant de s'exprimer pour qu'on puisse reconnaître une parole
semblable dans l'autre langue ? Qu'est-ce donc que le
sens ? D'où puis-je savoir que telle expression, tel mot
veulent dire ceci ou cela ? Lorsque je me mets à parler,
je traduis en mots ce qui pourtant n'existait pas hors
d'eux, parler est bel et bien traduire : tout à l'heure,
je ne parlais pas et voici que je parle et qu'on me comprend et me répond. Qu'est-ce donc que cet avant-de
parler ? D'où vient-il que d'emblée je comprenne des
termes encore jamais entendus auparavant ? Qu'est
donc ce sens qui s'étend au-delà de l'attendu, par-delà
le cadastre verbal[4] ? La parole est-elle nourrie de ce
qu'elle ne peut pas dire ? Qui parle, en somme ? Le
langage m'indique qu'il y a de l'autre, du « non-moi »,
mais dont le langage me prouve qu'il est, lui aussi, du
« moi » (il dit « Je »). Le langage me garantit même
qu'il y a du « moi », d'autres « moi » en dehors de
moi, me garantissant en retour que le langage est bien
ce que j'y entends et qui n'est pas dans le langage mais
dans nous deux, vous qui parlez et moi qui entends.

Or, la Bible le dit bien, avec Luther : « *es hatte
aber alle Welt einerlei Zunge und Sprach* » (Gen 11,1)
ou Segond « *Toute la terre avait une seule langue et*

les mêmes mots » (on aurait aussi pu traduire : « une seule langue et un même parler »). L'allemand moderne n'a pas conservé la langue (*Zunge*), il l'a remplacée par *Sprache*, le parler, devenu la langue. Mais dans les deux langues, l'important c'est d'avoir, comme disent les comédiens, la langue « en bouche », ou sur la langue, *auf der Zunge*. L'allemand y ajoute même *der Volksmund* « la bouche populaire », c'est-à-dire la façon de parler. Pour dire la langue, c'est par l'organe (la langue, *die Zunge-*) ou son émission (le parler, *die Sprache*) que cela passe, comme si l'important était le corps de langue, sa réalité physique, son bruit, sa consistance, son assise, son être physique, si dissemblable en français et en allemand. Des exemples innombrables ont été donnés[5] : « danger de mort » devient par exemple en allemand « danger pour la vie » (*Lebensgefahr*).

Les langues se différencient les unes des autres par le bruit qu'elles font, par leur nature sonore. On les distingue immédiatement à l'oreille, elles n'ont pas le même corps et toutes sont des langues.

C'est par là que tout commence, par le bruit que cela fait, par la sonorité, par la fameuse musique de la langue. On sait que la « bande passante » du français et de l'allemand est tout à fait différente. L'oreille allemande en entend beaucoup plus, entre 250 hertz et 3000 contre de 100 à 2000 pour le français. Comme si l'une jouait plus sur les nuances et l'autre plus sur la « couleur » (la hauteur des sons). Les langues ne prennent pas de la même manière dans le corps, elles entraînent une « posture différente », ce qu'elles disent est donc corporellement autre. En allemand il faut respirer plus amplement, prendre un gros bol d'air avant de s'y mettre. Le vieux Goethe, tant moqué, ne s'y trompa point dans ce célèbre distique : « *Im Atmen sind zweierlei Gnaden/ Luft einziehn und sich ihrer entladen/* » (Dans la respiration il y a deux bienfaits,/ prendre de l'air et s'en décharger).

On amorce son parler à un autre niveau du corps, la parole est la même, mais elle part d'ailleurs, le lieu d'arrivée est dans la plupart des cas le même, mais le chemin pour y arriver est tout autre. Chaque langue est langue et participe à l'universalité du linguistique qui n'existe que par les (et non la) langues.Il n'y a de généralité linguistique que dans chacune des langues, sans qu'il soit définissable hors d'elles. Je reconnais l'universel du linguistique dans telle langue en particulier, chacune est traduisible dans toutes les autres. Il n'y a de général que particulier. C'est par ce qui la différencie des autres qu'une langue se découpe par rapport à une autre et apparaît comme ce qu'elle est, mais cela seulement aux yeux ou aux oreilles de qui en connaît plusieurs. Le « locuteur » monolingue devine de même cet autrement, mais en quelque sorte muet, sans autre modèle de découpe.

Chaque langue a ses paysages, elle parcourt ses plaines et ses montagnes, elle a ses tournants et ses panoramas, ses vallons et ses rivières, ses odeurs et ses goûts. C'est un peu comme ces fameuses lignes de chemin de fer de notre enfance : on les voyait sur les atlas, traverser les régions les plus diverses pour converger chacune sur Paris où, d'ailleurs, elles n'arrivaient pas dans la même gare.

Dans une ville, au milieu d'un quartier, entre tous familier, il suffit de prendre l'autre trottoir pour découvrir selon une nouvelle perspective la même rue ou simplement changer de sens (c'est le cas de le dire) pour voir le monde se renverser. Il en est ainsi des langues : elles ne cessent de se transformer à l'intérieur d'elles-mêmes et, plus encore, les unes par rapport aux autres. À chaque pas, on leur découvre un autre sens. Or le sens, c'est quoi ? Encore une fois, d'où sais-je donc que ceci veut dire telle ou telle chose ? Si je dis « aha! », « j'ai compris » ou « c'est cela », c'est que je traduis un « avant-d'entendre » en une formulation qui lui correspond. Quelque chose d'absolument muet, sans existence quelconque se trouve, tout à coup, exprimé de façon si précise qu'on le voit littéralement se couler dans sa formulation. Pourtant, ce qui est ainsi exprimé n'existait pas, ne m'était peut-être pas même apparu comme requérant l'expression, l'instant d'avant. De plus, quand je passe par l'autre langue, je perçois physiquement la pesanteur, les contours de ce que je veux dire et je sens bien, si cela fonctionne ou non, si cela « colle » ou ne colle pas.

Les embarras des mots

Ce que je n'ai pas encore dit, je le « mets en mots », je traduis donc ce qui n'est pas encore dit en dit. Le langage a en propre de ne pas être réductible à lui-même, il n'est rien d'autre que la langue dans laquelle il se traduit. Tout à coup il y a superposition

du dit sur l'avant-de-dire, c'est l'expression linguistique. Elle : « coïncide » avec ce que je veux dire, mais
ne le réalise pas.

Or, la langue que traduit-elle, au juste ? Car
enfin, si elle parle, ce n'est pas d'elle qu'elle parle,
« ça » parle en elle, elle est bel et bien un « véhicule », elle n'existe par elle-même que d'être parlée
ou de l'avoir été par des êtres humains. La langue
est faite de ceux qui la parlent, elle n'a aucune existence par elle-même. Réduite à elle-même, elle n'est
que sonorités ou gribouillis sur du papier ou sur un
écran. La langue ne prend sens que par moi : je suis
toujours au centre du linguistique, il part de moi, de
chacun, de tout le monde. Ce que je sais de la compréhension que les autres peuvent avoir de la langue, je le sais par moi et je ne peux faire passer mon
savoir que par ce qu'on m'en a dit. Je ne peux me
faire comprendre que par du compréhensible. Je ne
sais jamais comment l'autre comprend : de la consistance, de la « forme » propre de son processus de
compréhension, je ne sentirai jamais rien, mais de
par le langage, je le suppose identique au mien.

Wittgenstein encore : « Pourquoi peut-on comprendre un mot et pas un porte-plume[6] », « *Warum
kann man ein Wort verstehen und keinen Federstiel ?* »
Comprendre ? Quelle est cette opération évidente et
incommunicable ? Une langue indique à sa façon une
manière supposée commune de comprendre.

Quiconque parle du langage le fait toujours à
partir de lui, à partir de quelqu'un, à partir des
autres, telle est bien l'inaccessibilité première du

langage. Quand j'ai fini de parler, je reste Gros-Jean comme devant et tout est à recommencer. Le langage a beau élucider ce dont il parle, une fois qu'on ne parle plus, c'est comme si on n'avait jamais parlé. C'est de cet avant-le-langage qu'est issue la multiplicité des langues, c'est toujours ce *même*, pris autrement, dont le *trouble* se rétablit aussitôt.

Tout se passe comme si aucune langue n'entamait jamais le linguistique, le parler possible. Le fameux « tout a été dit et tout est à redire » contient très exactement cette marge dont, à la fois, le fait de parler, le linguistique, procède et qu'il réserve. Une langue en peut toujours plus qu'elle n'en dit. Celui qui va se mettre à parler a devant lui l'illimité du linguistique, qu'il peut commencer en n'importe quel point verbal, par n'importe quel mot, selon ce qu'il veut dire ou simplement comme cela se présente (l'écriture automatique) et selon ce qu'il a à sa disposition. Celui qui parle et que j'entends, parle comme moi, par embarras. Il parle de ne pouvoir dire tout à fait ce qu'il veut dire, c'est cela que je reconnais dans ce qu'il dit, plus que je ne le comprends. C'est plus *cet embarras* que j'entends que ce qui est dit. Je l'entends et je comprends ensuite plus ou moins.

Comment se fait-il que l'accusé innocent ne puisse démontrer son innocence devant un tribunal ? Plus c'est évident, plus c'est muet. Le langage ne permet pas au tribunal d'approcher l'accusé. Il y a tribunal essentiellement pour cette raison, l'accusé innocent, à qui manquent les preuves, est à la fois inaccessible et ne peut se justifier. On l'accuse verbalement, au moyen du langage dont il ne peut se servir pour s'expliquer. La nature du langage est d'échouer devant l'évidence, mais elle est aussi de faire voir cette défaillance. Il n'y a que le langage pour en montrer le manque. C'est précisément au point exact où le langage rejoint celui qui le parle qu'il défaille. Tout se passe comme si le langage tout entier était fait pour cette défaillance, comme s'il s'organisait autour d'elle pour faire voir à chaque occasion qu'il ne pouvait rien dire de qui parle et qui, aussi bien peut parler une autre langue.

C'est Babel qui sauve le langage, puisque le « sens » c'est ce qui peut se dire autrement. Ma langue est de ne pas dire autrement le sens qu'elle ne le dit. Or, d'emblée, je sais qu'il y a d'autres langues, comme si le linguistique était ce savoir-là. On peut se demander si le mythe de Babel ne doit pas être compris à l'envers : comme l'unique reconnaissabilité du multiple. Il n'y a langage que par la multiplicité des langues. Toute langue est son autrement possible. Babel ne signifie rien d'autre que l'éclatement originel, c'est le linguistique, pour ainsi dire, qui donne naissance aux langues, comme si elles procédaient toutes d'un oubli originel. Le « linguistique » c'est ce qui se manifeste par le langage, lequel à son tour n'existe que dans le langues. On n'en sort pas.

Selon une vieille légende hassidique, l'enfant voit dans le ventre de sa mère le monde entier, mais dès qu'il est au monde, un ange lui frappe la bouche et il oublie tout[7]. Il lui faut réinventer le langage, or les langues du paradis[8] seraient l'antériorité même. Le Paradis, c'est l'état avant le linguistique, celui de l'enfant avant la naissance. Il ne saurait donc y avoir de langues du Paradis, le Paradis, ce sont les langues qui en parlent, mais ce n'est pas lui.

Hors nature

Le linguistique, c'est ce qui déborde les ressources du vocabulaire de tel ou tel « locuteur », c'est son « pouvoir parler », plus que les ressources de vocabulaire, quant à elles indéfiniment extensibles : toutes les langues sont « apprenables ». C'est ce que Wilhelm von Humboldt, auquel il sera recouru plus d'une fois dans ce petit essai, appelle « *die Sprachfähigkeit des Menschen* », la capacité langagière de l'homme[9]. Cette capacité langagière résiste à toute tentative de la cerner, elle échappe à toute investigation, tout comme la manière dont j'ai conscience de moi-même. Je ne puis, à aucun moment, faire passer à autrui la façon dont à l'instant même je m'appréhende. Cette conscience de moi-même et cette capacité langagière, en tant qu'elle est mienne, sont une seule et même chose, d'autant plus que le pouvoir parler ne se résout pas forcément en langage, mais en est l'origine. Toutes deux se heurtent à la même impossibilité de saisie. Ma capacité à parler cerne ma conscience de moi-même au milieu des autres et ce sont eux qui la cernent. « L'homme, écrit Humboldt, n'est homme que par la langue, mais pour inventer la langue, il lui faudrait déjà être homme[10]. »

Je suis de ne pas en avoir fini avec la parole. Le langage est de ne pas arriver au bout de celle-ci. Dès que je parle, j'ai tout le langage à ma disposition, comme si je n'avais pas encore parlé. J'en suis toujours au même point de basculement, à la frontière entre le moment où je ne parle pas et celui où je parle. Toute langue aurait tout aussi bien pu être une autre. « L'homme est partout un avec l'homme[11]. » Une langue ne l'est que de ne pas être une autre, que de ne pas pouvoir épuiser le linguistique. Aucune langue n'est toutes les langues à la fois, mais elle les ménage toutes. Il ne peut, par définition, y avoir de langue qui viendrait à bout de toutes choses, donc qui finirait par se confondre avec elles. Comme l'écrit Wittgenstein, « *Ich beschreibe nur die Sprache und erkläre nichts* », Je décris seulement la langue et n'explique rien[12]. Je parle du langage, mais je n'en dis rien et si les autres me comprennent, c'est simplement parce qu'ils en sont au même point, mais ce n'est pas parce que je leur explique.

S'il n'y avait pas, au départ, une coïncidence supposée possible, il n'y aurait pas de langage. Michel Foucault l'écrit en termes magnifiques : « Tout le volume du monde, tous les voisinages de la convenance tous les échos de l'émulation, tous les enchaînements de l'analogie sont supportés, maintenus et doublés par cet espace de la sympathie et de l'antipathie qui ne cesse de rapprocher les choses et de les tenir à distance; les ressemblances continuent à être ce qu'elles sont et à se ressembler. Le même reste le même, et verrouillé sur soi[13]. »

Le langage était donc conçu comme consubstantiel au monde. Son « détachement » ultérieur suppose son non-détachement préalable et comme le dit Bergson : « il est présumable que sans le langage, l'intelligence aurait été rivée aux objets matériels qu'elle avait intérêt à considérer. Elle eût vécu dans un somnambulisme, extérieurement à elle-même hypnotisée sur son travail[14] ».

L'arbitraire du signe

Le langage est ce qui fait que le mot n'est pas la chose mais la fait « entendre ». La question de l'origine du langage n'est que celle de son extension indéfinie. L'origine du langage, c'est le langage même dont les langues ne sont que les mises en place. Le propre du langage humain est de ne pas être en conformité avec ce qui l'entoure. La nature du langage est d'emblée hors de la nature puisque son « avant de dire » serait cette sorte de somnambulisme dont parle Bergson. Le langage humain, comme tel, est ce qui n'est pas donné d'avance, qui n'est pas matériellement « *vorhanden* », à disposition de la main. Il est du commun indéfiniment variable. Le langage n'est pas un outil, mais c'est grâce à lui qu'il y a outil, l'utilisable est d'emblée précédé du langage. En d'autres termes, le langage est ce qui précède son utilisation. En somme savoir qu'il y a du réel, n'est déjà plus être dans le réel. L'étrange est que parler suppose être sûr du langage, être assuré qu'il ne vous lâchera pas en cours de route.

Cet avant de dire correspond à la description chez saint Augustin de la pensée qui « reste intégralement elle-même pendant que le verbe se fait langage[15] ». La pensée ou l'avant de dire est hors de toute ressemblance, dans sa propre continuité, sans mots, sans verbe, dans le face à face avec la langue. Dans *La Trinité* Saint Augustin décrit bien la mise en œuvre du verbe : « Lorsque nous parlons aux autres, nous mettons à la disposition du verbe, qui reste intérieur, la voix ou quelque autre signe corporel, pour que par l'intermédiaire de cette évocation sensible, se produise dans l'âme de celui qui écoute le même phénomène que celui qui persiste dans l'âme de celui qui parle[16]. »

C'est bien de cette muette constante intérieure que saint Augustin appelle « verbe », que procède le langage en tant que vous et moi le savons être tel. Je ne me sais que par le langage qui m'oblige à savoir que les autres le savent aussi comme langage. Le langage est une institution qui en me mettant en relation avec les autres, m'assure de ma « pensée pensante ». Grâce au langage, je sais qu'en tant que celui que je suis, je suis assuré de ne pas pouvoir être confondu avec ce que je ne suis pas et je sais aussi que ma pensée n'est cette pensée que par sa formulation possible. Dût-elle manquer de mots, elle reconnaît ce manque de mots comme défaillance éventuelle du langage. Savoir que le langage me manque est langage.

Cette question occupait, on le sait, Port-Royal au XVIIe siècle. « Pour Port-Royal, la pensée pensante est naturelle, c'est le langage qui ne l'est pas[17]. » Les Messieurs de Port-Royal, comme on les appelait, les amis de Pascal sont parmi les premiers à avoir posé la question de l'arbitraire du langage sans lequel la pensée ne se formulerait pas en tant que pensée. Le langage seul la fait être pensée, sans le langage, elle ne saurait pas qu'elle est, elle serait pensée, sans forcément savoir qu'elle l'est. Le langage la prouve et pourtant elle ne pense pas par les mots, ceux ci viennent quand la pensée est finie, elle ne *s'accomplit*[18] qu'en langage. Ces Messieurs ont donc, d'une certaine manière, tout comme La Bruyère, devancé Freud. Si la pensée se reconnaît elle-même par le langage, parler n'est pas pour autant penser. Tout l'effort de Port-Royal a consisté à tenter de ne pas perdre le fil de cet « être-soi », de la pensée dans l'arbitraire du langage. La pensée ne se reconnaît pas toujours dans ce que le langage lui a fait dire, elle n'en est pas moins modifiée, sauf qu'elle ne sait pas comment. C'est l'arbitraire du langage qui par impropriété établit la pensée et lui permet de s'en différencier[19]. C'est le problème de l'« idée » et de sa « trace »

Port-Royal encore : « Le Verbe qui n'appartient à aucune langue, se revêt de signes pour se faire entendre lorsqu'il est besoin de le porter à la connaissance de ceux auxquels nous parlons[20]. » Surtout ne vous laissez pas tromper par le langage, semblent à chaque instant nous dire les Messieurs de Port-Royal. Ces Messieurs avaient, comme on dit, tout compris et peut-être ont-ils contribué à empêcher le français de succomber trois cents ans plus tard aux perversions fondamentales, irrémédiables et irréparables que la langue allemande a subies du fait de l'alliance entre la prétendue philosophie et l'extermination nazie[21].

L'extraordinaire facilité verbale de l'allemand, sa capacité illimitée à construire des mots, fait d'une certaine manière que la langue est toujours en avant de la pensée à laquelle les mots viennent tout seul. Elle y trouve non tant ce qui la formule que ce qui en repousse la formulation de façon indéfinie dans un sens tracé selon le vocabulaire choisi. C'est ainsi qu'une grande part de la philosophie du XXe siècle est édifiée sur un certain nombre de variables, à partir d'un même mot racine. Ce procédé fort utilisé par Hegel ou Schelling est toujours maîtrisé, c'est particulièrement net chez Hegel, de sorte que la langue ne devance pas la pensée, d'où l'extrême solidité de la pensée de Hegel.

Par la suite, un siècle plus tard et déjà chez Husserl, mais sans réserve chez Heidegger, la langue est utilisée en fonction d'un choix délibéré. De nombreux verbes-substantifs peuvent se combiner avec au moins une vingtaine de préfixes ou de suffixes, donnant lieu à un nombre de mots presque illimité.

Selon *La Crise des sciences européennes* d'Edmund Husserl, essentielle à cet égard, les découvertes galiléennes recouvrent un monde sensible peu à peu absorbé par le monde géométrique[22]. Le langage est toujours établi avant toute découverte, si bien qu'à son originel retard sur ce qu'il est vient s'ajouter le *more geometrico*. Les nouvelles découvertes trouvent un moyen d'expression dans un langage qui les précède et n'est pas forcément fait pour elles.

Le propre de la découverte vient justement de cette inadéquation : peut-il y avoir découverte sans décalage, donc sans langage ? La langue n'est elle-même qu'une forme possible du langage. Celui-ci n'existe que dans telle ou telle langue dont la forme en est l'indication puisqu'elle peut être autre. Même si on n'en connaît pas d'autre, toute langue incite à un autrement, ne fût-il que sonore, comme les langues inventées dans l'enfance.

La contrainte de la pensée

La continuité de la pensée et du ressenti de soi, est contrainte d'en passer par la parole, de se former dans le langage avec lequel elle n'a rien à voir, ne se résolvant jamais en langage. Il n'est pas d'expression linguistique qui ait jamais mis fin à de la pensée. Celui qui parle continue, avant, après et même pendant qu'il parle, il peut aussi bien faire silence.

La parole sort de moi et moi, j'y reste. De plus, lorsque je parle, tout le reste, la trame sensible de l'instant, me déborde : de la lumière de la fenêtre sur ma droite à la voix de la femme bien aimée, du bruit à la cuisine à l'enfant qui appelle, de la voiture qui passe à l'image qui me vient, tout à coup. Cette trame échappe à toute phrase que je prononce. La minceur même de l'énoncé, qui, de plus, traîne en longueur, n'exprime rigoureusement rien de tout ce que je voudrais dire ou précisément ne pas dire. Je passe mon temps à chercher mes mots : lesquels et où donc ? Quelle est donc cette « reconnaissance » soudaine quand on trouve le mot juste ? À quelle coïncidence a t-on affaire ici ? C'est que la matière linguistique est muette, que le langage n'est que de la forme donnée à du « vide » ou plutôt à du non-dit encore, mais déjà parfaitement délimité en creux. Il y a donc une forme-contenu en avant de l'expression linguistique et dont celle-ci procède. Les langues sont bel et bien l'avance qu'elles ont sur elles-mêmes ou plutôt celle de qui parle sur ce qu'il dit.

Tout le formidable effort de Proust, on le sait, n'est pas autre chose que de tenter de tirer plus vite que son ombre, de rattraper le temps perdu par l'écriture. Rien de plus banal que de telles considérations, mais l'étrange est bien là, il faut chaque fois recommencer à zéro, comme si l'essence du langage était de laisser à nu. *La Recherche du temps perdu* dit bien ce qu'elle veut dire. Toute phrase n'est que son retard, « Mais dans la cendre des mots je sais bien que nous écririons encore, avec le doigt, comme des enfants[23] ».

Si de pareilles citations pullulent, c'est que toujours en se servant du langage les êtres humains se heurtent à l'impossibilité d'expression ultime. Nulle capture ultime : c'est peut-être pour le faire voir que s'est institué » le langage : « comme si la plénitude de l'âme ne débordait pas quelquefois par les métaphores les plus vides, puisque personne, jamais, ne peut donner l'exacte mesure de ses besoins, ni de ses conceptions, ni de ses douleurs, et que la parole humaine est comme un chaudron fêlé où nous battons des mélodies à faire danser les ours, : quand on voudrait attendrir les étoiles[24]. »

Le langage, en effet, n'est que son retard. Tout ce qui le constitue, son essence même est fait de ce retard. Quand l'expression passe par le langage, ce que le langage exprime est déjà passé.

Toute langue peut parler de tout ce que peut receler le champ linguistique qu'elle étend au fur et à mesure de son emploi. La langue surplombe le monde de la vie puisqu'elle peut aussi bien en exprimer un autre. Aussi liée qu'elle soit à une « culture » spécifique dont elle est issue, une langue est nécessairement universelle. Aucune langue n'est limitée à sa zone géographique et, dût-elle n'avoir jamais été prétendument parlée ailleurs, d'emblée elle exprime la *Lebenswelt*, le monde entier de la vie de l'humanité car toute langue est « parlable » par n'importe qui et toute langue, par définition, appartient à toute l'humanité.

L'Avant-Babel ?

L'Avant Babel supposé par la Bible est précisément le non-linguistique, l'indistinction d'avec le monde, la non-séparation, un monde d'avant la *Spaltung*, cette refente (le clivage) qui parcourt le monde de l'homme, mais où l'homme n'est pas, puisqu'il est celui qui parle, « *er ist derjenige der Sprache spricht* », qui parle parler comme dit l'allemand. La langue unique d'avant-Babel ne pouvait pas être une langue puisque par elle-même toute langue implique un autrement, un saut, une « sortie », elle contient en elle ce qu'elle n'est pas. La langue fait signe, elle montre. La langue d'avant Babel est ce qui donne lieu aux langues et qu'elles contiennent toutes : ce pouvoir parler, cet *à-dire* qui les fait être langues et qui d'ores et déjà les sépare du Paradis. Il y a « langue » avant même qu'il y ait langue, mais cet « avant » n'est que dans *les* langues et leur multiplicité. Il n'y a pas d'« avant » en soi, il n'apparaît qu'après dans la langue, la langue est son possible qui ne s'exprime que par elle. Il n'y a homme que par la langue, si bien qu'il n'y eut point de paradis d'avant les langues ni de « Langue du paradis ».

Dès l'abord, parler veut dire qu'on aurait pu parler autrement. Si grande qu'ait pu être la cohésion supposée d'une époque, l'Antiquité (le monde égyptien) ou le Moyen Âge (le XIIIe siècle), le langage n'y était pas simplement le reflet sonore de l'harmonie et de l'unité existantes, une sorte d'avant Babel, puisque tous les documents les plus anciens de l'humanité nous révèlent la présence des langues en l'état, donc de systèmes aptes à exprimer autre chose. Si grande donc qu'ait pu être cette cohésion, il y en avait une autre possible. Il y a pour l'homme pour autant que nous puissions le savoir, langue et donc langue autre. Toute langue est son autre.

Quelqu'un emporte les langues qu'il connaît ailleurs, dans sa tête et peut s'en servir à une autre fin. Toute langue contient, en moi qui la parle, un principe de généralité applicable à tout autre univers linguistique. Toute langue est langue de contenir, dans ma tête, une partie du champ linguistique de toutes les autres et de pouvoir indéfiniment étendre le sien propre. Aussi loin qu'on remonte dans le temps, les documents linguistiques en notre possession révèlent des langues désormais constituées en tant que langues, c'est-à-dire en systèmes de signification *qui parlent de quelque chose qui n'est pas elles.* D'emblée, toute langue contient un développement indéfini, elle est susceptible d'une extension et d'un enrichissement constants, elle est, en tant que langue vivante, énergie potentielle.

Il est de la plus extrême banalité de dire que le langage trahit, comme s'il n'était pas fait pour cela, mais que trahit-il ? Cela, il est le seul à le dire, comme s'il était l'objet de son impossibilité, comme s'il était sa propre frontière. Son extension est sa limite, il borde du non-bord, de « l'il n'y a pas ». Ce que le langage trahit, on ne le sait pas, puisque il n'y aurait pas alors trahison, il faudrait justement le langage pour le dire. L'Avant se caractérise par son indéfini, on ne sait rien ou pas tout ce qui va venir, mais une fois arrivé, ce qui est advenu ne peut plus ne pas arriver et ne peut plus être autrement que tel qu'il est désormais. C'est très sensible dans le déroulement bien connu de la phrase allemande qu'on ne peut comprendre que lorsque le verbe moteur est arrivé, tout à la fin de la phrase. Jusqu'à ce dernier mot, tout est encore en suspens, le précipité ne s'en fera qu'au tout dernier instant et de façon irréversible. Il n'y a pas d'autrement possible, comme on dit si judicieusement : « Ce qui est dit est dit ». On peut reprendre sa parole, mais non ses mots.

Dans l'après-coup

Tout se passe comme si les langues étaient d'indiquer ce qui de leur fait n'existe pas. Elles masquent ce qu'elles font apparaître. Il n'y a plus d'autrement dit une fois que c'est dit. Par-delà, on peut considérer que tout phénomène, tout événement, rend impossible à jamais tout ce qui aurait pu être. Tout arrive à chaque instant comme par- dessus toute l'infinité des possibles, mais n'est pas advenu autrement. Une fois la parole dite, elle a été dite comme elle a été dite et il n'y a pour elle pas d'autre possible. Le désormais est toujours trop tard. Ce qui a été dit aurait pu l'être autrement, mais ce fut dit comme ce fut dit et l'autrement de ce dit n'a pas existé et n'existera jamais puisque ce fut dit ainsi. Tout mot, toute expression déclenche, fait voir un autre qu'elle n'est pas. Il y a de l'autre qui n'existe pas dans la langue. La langue ouvre sur du non-dit dont on ne sait rien.

Le langage arrive après et d'arriver après abolit ce qu'il exprime. Le langage n'est pas la pensée et n'en rend pas compte, il pose simplement des jalons reconnaissables. C'est bien ce qu'en exprime la grammaire, elle se déroule dans le temps après la pensée qu'elle restitue[25]. La pensée est immédiate et le langage étendu. Le langage est toujours plus long que la pensée. Le langage a besoin de temps, la pensée pense. Pour que la phrase puisse être grammaticalement constituée, il faut la précession, si menue soit-elle, de la pensée qui oriente et donne naissance à la phrase. En retour, si la langue peut donner de la pensée, c'est parce que j'en réalimente les signes, du fait de ma compréhension. La pensée que donne le langage sera toujours mienne et contrainte à son tour de se servir des mêmes signes.

Si la superposition et la concordance étaient totales, il n'y aurait pas de déroulement de la langue dans le temps, il n'y aurait que de l'instantané indéfini, car le plus étonnant, c'est que parler prend du temps, cela dure. On a bien souvent remarqué cette linéarité du langage. Il faut du temps pour exprimer l'immédiat. On ne cesse de se heurter à la lenteur du langage, comme si son allongement était l'impropriété qui le constitue. L'instantané des « associations d'idées » dément perpétuellement le langage, elles sont toujours infiniment plus rapides que leur énoncé.

Le saisissant dans le langage, c'est qu'il n'est pas à son propre temps. Quand la parole arrive, la pensée est déjà là, puisque je sais ce que je vais dire, même si je ne sais pas forcément comment je vais l'énoncer. En même temps, je suis sur le point de dire autre chose. J'ai toujours du langage à ma disposition et c'est bien parce que, sans cesse, je devance le langage que je puis m'en servir. Sur ce plan la parcimonie du français est l'inverse de la richesse de l'allemand dont le maniement est d'autant plus délicat que l'abondance du verbe menace à chaque instant de noyer la pensée, là où le français l'épuise.

Ce retard est toujours indicateur de son origine, le retard en est justement la seule expression possible. Le langage est en décalage, il est même d'une manière ou d'une autre son propre décalage. « Il n'y a ni concepts, ni catégories, ni universaux, ni rien de ce genre. Ce qu'on prend pour de telles choses ce sont *des signes indiquant des transformations* – desquelles le mécanisme nous échappe. Les termes de ces transformations sont des représentations. *Ce sont des signes indiquant des indépendances et des dépendances.* Ces indépendances résultent de substitutions – inexplicables dans leur mécanisme[26]. »

Le langage et l'impropre

Une obsession allemande

Si le langage n'était ni impropre, ni décalé, ni en retard, il ne serait pas. Plus le langage coïnciderait avec ce à quoi il correspond, moins il serait langage. Cette proximité était un rêve idéal qui a longtemps, depuis Leibniz et Fichte[27] obsédé la philosophie allemande avec au bout les résultats que l'on sait. La conscience, en effet, ne peut se développer, exister que dans l'impropriété du langage par lequel elle s'exprime, c'est ce qu'a tout de suite vu Paul Valéry, une fois encore : « Si le Tout est instantané ou entièrement donné, pas de langage[28]. » La pensée, la conscience de soi n'existent que dans une certaine forme de malheur d'*Unglück*, de non-bonheur dit l'allemand, de non-coïncidence ? Valéry encore : « Si le langage était *parfait*, l'homme cesserait de penser[29].»

Or le propre de l'allemand est d'être constamment tenté par la coïncidence, par cette possible superposition, c'est cette *Eigentlichkeit*, le « propre » dans le langage des philosophes, qu'une certaine pensée allemande se croit en passe de réaliser, comme si le mot pouvait être la chose. Les mots composés, en effet, sont immédiatement compréhensibles grâce aux éléments qui les constituent, tout mot composé s'élucidant de lui-même. Ainsi un « ophtalmologiste » est un *Augenarzt*, un médecin des yeux : une louche est une cuiller à puiser (*Schöpflöffel*). D'où la formulation convaincante et efficace de toutes les possibilités. « *Deutschland, das Land der unbegrenzten Möglichkeiten* », disait-on jadis, l'Allemagne le pays des possibilités illimitées car la langue les permet toutes et n'importe lesquelles, dans n'importe quel sens. Il n'en fallait pas plus pour faire s'y exprimer le crime absolu sous sa forme allemande de national-socialisme.

Il y a probablement en allemand, du fait d'une apparence d'immédiateté au sein de la langue, une « approche » plus directe, plus soudaine de la réalité qu'elle décrit, comme s'il n'y avait pas ou peu d'écran entre ce que dit la langue et ce dont elle parle, comme si la part métaphorique en était plus réduite qu'en français dans l'utilisation et la formation des mots composés par agglutination. La difficulté du français à former des mots composés, l'impossibilité de l'agglutination, le préserve peut-être des juxtapositions irrationnelles et incontrôlées. L'obligation quasi permanente d'une conjonction de raccord entre les éléments, toit de tuiles au lieu de *Ziegeldach*, dévoile l'arbitraire de certains composés verbaux associables en allemand, à volonté comme *Teufelsstrand* (plage du diable), *Luftfenster* (fenêtre d'air), pour n'en rester qu'au matériau.

Si « l'espace relationnel » est pour une part déterminé, en tout cas, exprimé par la langue, il est certain qu'il y a quelque chose de plus péremptoire et de plus impérieux, qui sollicite davantage et contraint plus d'adhérer qu'en français, comme si la langue allemande mettait tout sur la table, faisait tout voir, là où le français se contente d'allusions. On n'a pas besoin de dire ni comment on sort ni comment on entre, si c'est à pied ou en véhicule, ni si on pose verticalement ou horizontalement, alors que l'allemand situe chacune de ses actions *ausgehen, ausfahren, legen, stellen, etc.* « Sortir » est plus net en tant que tel que *hinausgehen* ou *hinausfahren* qui peuvent toujours en cours de route se réorienter. Le sortir allemand prend des valeurs accidentelles alors que le sortir français « sort » en soi. Il n'y a pas de *noli me tangere* en allemand, pas de « ne me touche pas ».

Les diverses constructions grammaticales de l'une ou de l'autre langue ne sont jamais que des manières de décrire ce retard ou ce décalage qui constitue la matière linguistique même. Ce n'est pas pour rien que le verbe dont Humboldt a bien vu qu'il est l'articulation de base de toute langue, est un mot du temps et fait par le temps. Mais l'expression du temps est toujours en retard sur celui-ci, on l'entend parler au fil du temps de ce qui n'y est plus ou pas encore. Le « temps » de la pensée et celui de la phrase ne sont jamais les mêmes. L'instantané du senti, ressenti ou pensé est par sa nature en décalage avec son signalement : le langage.La soudaine surrection de la pensée est « reproduite » par la lenteur du langage. Par nature le langage est donc fait pour ne pas être ce qu'il exprime. La tension est dans le ressort : la détente l'abolit et n'en fait rien voir, inanalysable, insaisissable, la tension ne se manifeste que lorsqu'elle cesse, on voit le ressort se détendre, de même on entend les mots selon le « sens » qui leur a donné lieu.

Quand il y a du langage, ou bien il n'y a plus ce dont il parle ou bien cela est encore et le langage alors n'en est que *l'indication* ou le *signe*, si on veut, mais il y a toujours du sens. Les sons du langage impliquent nécessairement la soudaineté du sens toujours abrupt et ne s'exposant pourtant que dans le temps.

La langue et le monde de vie

Les mots des langues ne sont pas des *Wozudinge*, des « objets-pour-quoi-faire », comme les nomme le phénoménologue Wilhelm Schapp[30]. L'« objet-pour-quoi-faire » s'épuise dans sa destination : ainsi le marteau dans sa « marteauité », la pince dans sa « pincéité » qui ramènent les outils à tout un champ d'utilisation et, de loin en loin, évidemment à l'horizon même où se situe le langage, à la *Lebenswelt* (le monde de vie) comme dit Edmund Husserl[31].

Or, les langues, justement, ne se réduisent pas à la seule *Lebenswelt*, le monde de vie, à l'horizon constitutif. Elles en sont issues mais n'en font pas partie, bien que ce ne soit que grâce à elles que cette *Lebenswelt* s'appréhende. Elles peuvent, en effet, parler de tout autre chose que de cet horizon dont elles sont nées. Ce « se-savoir-au-monde » est le linguistique même, dans la mesure où il est sans limites, même si le vocabulaire d'une langue est provisoirement restreint (*Weltauffassung* plutôt que *Weltanschauung*, conception du monde plutôt que vision du monde). Or savoir et concevoir, c'est déjà être séparé, donc être dans le langage, dans une langue. Le langage n'existe que dans les langues, il n'y a que les langues qui soient linguistiques. Le linguistique, c'est la langue elle-même.

Les caractéristiques d'une langue ne sont en rien cette langue elle-même, elles ne sont particulières et visibles que comme formes diverses de ce qui fait qu'une langue est langue (*Sprachlichkeit*). Toute langue ouvre en elle, si particulière soit-elle, le passage vers toute autre langue. Tout lieu de *l'In-der-Welt-sein*, de l'être au monde mène à un autre. Il n'y a rien de particulier qui ne puisse être immédiatement général, tout terme d'une langue est importable dans une autre à défaut d'être traduisible. Ce n'est qu'à partir d'un « général », en tant que tel implicite, qu'on se rend compte du particulier qui n'est qu'une forme du général.

La langue maternelle est d'avoir pu en être une autre car toute langue est la langue en général. Rien dans une langue qui ne soit entièrement accessible à l'entendement[32] humain. La fameuse « raison », aujourd'hui tant vilipendée n'est rien d'autre que cette universalité de l'entendement. Tout enfant aurait pu naître dans n'importe quelle langue, il les avait toutes si on peut dire, à sa disposition. Tout homme aurait pu parler toute autre langue que la sienne, de plus, il peut en apprendre d'autres et leur « apprenabilité » est justement ce qui les fait être langues. Chacun aurait pu naître dans une autre langue et un Français de deux mois passant toute sa vie, dès cet âge, en Chine aura le chinois pour langue maternelle. La capacité langagière de l'homme est indéfinie.

Si même une langue était strictement limitée à une tribu ou à un isolat humain quelconque, ce qui peut être le cas de langues restées longtemps sans un quelconque contact avec d'autres langues, elle n'en contiendrait pas moins la possibilité de parler d'autre chose. Une langue, c'est l'au-delà-d'elle-même, elle est faite de mots qui ne sont ni ce qu'on entend ni ce qu'on voit. « Ce qui, en effet, donne à un mot d'être événement ne dérive ni du prélèvement, si sélectif soit-il, opéré dans le dictionnaire, ni de l'exécution, si performative soit-elle, de la diction, mais d'un non-dit non codé dans le texte, bien que, sous certains aspects, décelable à partir de ce dernier, et instaurant des différences, dont les signes qui les composent n'embrassent jamais l'empan[33]. »

L'ordre d'un monde peut être aussi dense qu'on voudra, la langue lui échappera toujours, elle est en effet capable de faire accéder à tous les autres mondes culturels. Il suffit potentiellement d'une seule langue pour faire l'inventaire approximatif du monde entier, c'est bien pourquoi, encore une fois, toute langue est langue et apte à tout.

Prométhée, Sisyphe habitants de Babel

En fait, le mythe de Babel, à la fois se précède et se suit. Il n'y a jamais eu d'Avant-Babel ni d'Après-Babel; il y a toujours les deux conjointement : la tour de Babel est en train de se construire tout en s'écroulant. Il est peut-être erroné de vouloir que cette fable soit un récit historique, inscrit dans un ordre chronologique. Babel, c'est son actualité, puisque à chaque instant la langue est à recommencer. Chaque nouvelle phrase est une nouvelle aventure. Avant elle il n'y a rien. Celui qui parle, à moins d'avoir préparé ce qu'il va dire, n'a rien à quoi se raccrocher, il part et parle à partir du vide et se jette à la face des autres. Rien ne garantit qu'il ne bafouillera pas ou ne fera pas de lapsus. Rien ne garantit la phrase ni les mots qu'on s'apprête à dire. Il n'y rien avant les mots, si ce n'est cette « masse » muette qui ne formule rien, mais qui pèse sur ce qui va être dit, d'une certain manière, comme une consistance intérieure à la tête. Ce qui est « avant les mots » ne le devient qu'après par les mots qui ne le formulent pas mais l'établissent. Le langage n'est jamais concomitant à ce qu'il exprime, à moins d'être cri. Mais le cri est-il de la langue ? Le retard du langage est justement ce qui le fait être langage. Ce qui donne lieu à la parole est d'abord muet. La parole est issue d'un vide lourd, sans contenu précis qui n'est reconnaissable qu'après. « Je vous ai compris ».

Ce vouloir dire ou plutôt cet *avant de dire* plus ou moins conscient et clair n'est pas saisissable, même pour celui qui en est le sujet, autrement que par les mots prononcés qui l'abolissent et lui restent impropres. La phrase dite n'est que cette phrase dite, mais non ce qu'elle contient dont on ne sait rien. L'étonnant est bien là : avant que je ne dise ma phrase il n'y avait rien, je ne sais pas de quoi elle procède. L'avant de parler est insaisissable et on n'en prend connaissance que rétrospectivement dans la phrase faite. Tout est dans la tête de celui qui parle ou plutôt rien n'y est, la tête n'est pas une caisse à mots. Dans la tête, il y a un vide pesant qui persiste pendant qu'on parle et continue après : *la langue n'est que cet arc vide qui la contient*. La langue est ce qu'elle n'est pas. C'est de l'avant qu'elle est issue et c'est après qu'on la comprend.

C'est une fois qu'on a dit le mot et la phrase, qu'on est au fait de ce qui est dit et c'est particulièrement sensible en allemand, où on ne comprend vraiment une phrase complète que lorsqu'on ne l'entend plus, c'est comme si on assistait au cheminement intérieur de celui qui est en train d'entendre, comme si on *l'*assistait : « *Und wenn ich nicht schuldig war, weil der Verrat einer Verbrecherin nicht schuldig machen kann, war ich schuldig weil ich eine Verbrecherin geliebt hatte.* » (Et si moi pas coupable étais, parce que la trahison d'une criminelle ne pas faire coupable peut, j'étais coupable parce que moi une criminelle aimé avais[34]).

Le « pendant que » d'un énoncé, donc le phénomène de langue lui-même, tel qu'on l'entend, ne prend tout son sens qu'au bout, quand il est complet et a donc disparu de son énonciation. Telle est bien l'ironie du langage. Prométhée et Sisyphe pourraient très bien habiter Babel puisque le langage, tout à la fois, n'est que de ne plus être (l'énoncé termine l'énonciation) et d'être toujours, inlassablement à recommencer. D'où vient-il, en effet, qu'on comprenne tout à coup et qu'on reconnaisse soudain son comprendre ? Il n'y a « langue » qu'à cet instant du surgissement du « J'ai compris ». La langue n'est que d'être comprise, être compris c'est le *quelqu'un* de la langue.

La nature du langage est d'être parlé sans cesse, sans en être entamé pour autant, d'être toujours reparlé. Le français, certes, est une langue, mais il ne l'est que d'être, à toute heure du jour, parlé par des millions d'âmes, par autant de « Je » en proie au besoin de parler. Celui qui parle est toujours à la recherche de la coïncidence ultime, où enfin tout serait dit, où l'expression coïnciderait avec l'exprimé, comme si quelque part le langage était sans cesse à la recherche de son abolition.

Or, le langage par essence ne rend pas compte, c'est même ce qui le fait être langage, il échoue dès l'abord ; il est son impropriété même. Mon vouloir-dire est, en tant que tel, contraint d'emprunter des voies qui ne lui sont pas propres. Je ne suis pas l'inventeur de ma langue, je la trouve toute faite et pourtant, du fait de son antécédence même, elle est bel et bien mienne : « Le fait que la similitude, écrit Wilhelm von Humboldt, que l'on rencontre dans toutes les langues découvertes jusqu'ici et dont on peut de toute évidence supposer qu'aucune encore à découvrir ne s'écartera et ne donnera non plus aucune preuve quant à l'origine d'un peuple, doit être clair pour quiconque réfléchit sur la nature du langage et sur le côté fragmentaire de notre histoire[35]. »

Je ne suis que de trouver la langue toute faite (dans sa similitude, ses caractéristiques identifiables dans le comprendre) et de la reconnaître pour mienne, au fur et à mesure que je me reconnais moi-même. L'apprentissage de la langue est apprentissage de soi et réciproquement. Je ne suis pas détachable de la langue par laquelle s'est faite la découverte de mon « identité », à ceci près que ce processus aurait pu s'effectuer dans n'importe quelle langue (c'est le linguistique même). Ma découverte de moi-même ne pouvait que se faire dans ma langue maternelle, mais ma langue maternelle aurait pu être n'importe laquelle. Et celle-ci est commune à toutes les autres.

Comprendre ou le « bon sens »

L'important est certes de repérer ce qui linguistiquement est commun à toutes les langues qu'on peut aussi bien d'ailleurs chercher dans celui qui parle (pour ne pas employer le terme si laid de « locuteur » qui mécanise celui dont on parle). Là encore Humboldt décrit les choses avec une grande clarté. « La communication intellectuelle, allant de l'un à l'autre, présuppose dans celui-ci quelque chose qui lui soit commun. On ne comprend le mot entendu que parce qu'on aurait pu le faire soi-même[36]. » Celui qui parle est en permanence à l'origine du langage et celui-ci n'existe que par la permanente mise en œuvre de cette origine. Une langue n'existe jamais pour elle-même, elle n'est jamais autre chose que sa compréhension. Bergson dit la même chose à propos des formulations mathématiques : « Les phrases que nous lisons ou entendons n'ont un sens complet pour nous que lorsque nous sommes capables de les retrouver par nous-mêmes, de les créer à nouveau, pour ainsi dire, en tirant de notre propre fonds l'expression de la vérité mathématique qu'elles enseignent[37]. »

Une langue ne l'est que d'être signifiante, elle n'est nullement posée dans son aspect comme telle, elle ne signifie jamais qu'un détour dans la voie : elle est un paysage que le voyage du sens traverse et il ne se manifeste, il est vrai, qu'au travers de cet aspect et pour le formuler, je ne peux avoir recours qu'à lui.

L'Avant-Babel, c'est cette irréductibilité de quelqu'un à quoi que ce soit et en particulier, à sa langue et même à sa parole par quoi, en retour, il fonde le langage qui n'existerait pas sans cette fondamentale inaccessibilité de qui le parle. Je ne suis réductible à rien, c'est bien pourquoi je parle. C'est bien pourquoi, à la limite, une langue ne dit rien de qui la parle. « Avant de signifier quoi que ce soit toute émission de langage *signale* que *quelqu'un parle* », écrit encore Valéry[38].

Mais il y a plus encore : c'est d'échouer à dire qui fait les langues être langues, leur multiplicité les prouve. Il n'y a langue que parce qu'il y a d'autres langues. On s'est peu attaché à cette défaillance fondatrice qui laisse toujours place à celui qui parle, comme si les langues étaient des feintes, des faux-semblants derrière lesquels est réservé l'essentiel.

En parlant je montre qu'il y a toujours quelqu'un derrière les mots et c'est de cet intervalle que les langues parlent, d'un « quelqu'un » quelconque mais nécessairement impliqué. Le « sens » c'est ce qui n'est pas dans les mots mais qu'eux seuls montrent. Le sens n'est nulle part, si ce n'est dans les mots où il n'est pas puisque c'est moi et tous les autres moi qui l'y mettent. Pour qu'il y soit, il faut qu'on l'y comprenne. C'est moi qui comprends, qui le fais être, il n'est que par celui qui l'entend. Le langage n'a nulle existence propre, il est même cela, ce qui n'a aucune existence en soi. Il n'y a de sens que pour quelqu'un.

Ce ne sont pas des paroles qui sont en soi enregistrées sur une bande magnétique ou imprimées sur du papier. Elles ne le sont que par moi. Le langage n'est pas ailleurs, c'est « moi » le langage et c'est « toi » le langage. Mon comprendre outrepasse nécessairement ce que je comprends. Tout comprendre déborde son contenu[39]. Comprendre, c'est en comprendre plus qu'il n'y en a. Le comprendre est un saisissement qui n'est nulle part dans la langue. Il est moi, mais un moi, un « je » plutôt qui sait la nature anonyme du comprendre. Tout acte de compréhension est en soi commun à chacun, c'est ce que Descartes nommait le « bon sens ».Comprendre est un acte impersonnel au plus extrême du soi. D'ailleurs la « langue », cela lui est bien égal que je la comprenne ou non, mais elle n'est, elle n'apparaît que par ce que je la comprends. La « langagéité » (!!) (*Sprachlichkeit*) n'est rien d'autre.

S'il n'y a plus personne pour l'entendre, le langage est à jamais perdu. Il n'y a jamais rien, dans les langues sans personne. C'est comme pour les peintures SOUDEE d'une publicité de jadis : « Les Républiques passent mais la peinture SOUDEE reste », les langues parlent et le sens reste. Je peux toujours recommencer, ne pas me satisfaire de ce que je dis ou entends, cela ne marche jamais tout à fait, c'est cela la langue : la langue est que je puis la parler.

Tout a été dit sur le son et le sens. Je ne puis parler sans émettre de sons ou sans les écrire (puisque les langues européennes en tout cas notent les sons). Parler c'est donner à entendre (le français ici associe, subtilement, les deux sens du verbe entendre), comme le dit Port-Royal « l'idée de la chose excite l'idée du son et l'idée du son celle de la chose[40] ».

Tout a été dit sur la diversité des sons, mais l'essentiel est que je puisse les émettre, d'une part, et que je puisse les comprendre, d'autre part. Je sais distinguer le compréhensible de ce qui ne l'est pas pour moi, presque instantanément, or l'amplitude des mots n'est pas la même pour tout le monde. L'un comprend, l'autre non ou différemment. La phrase ou le mot se déroulent tels quels, mais c'est moi qui les saisis ou non, mais personne au monde ne peut sentir mon « comprendre » comme je le sens moi. C'est cela qui se manifeste, invisible, à tout instant dès que quelqu'un parle et qu'un autre l'entend.

Babel d'avant Babel

Le dit et le dire

Celui qui parle est en permanence à l'origine du langage et celui-ci n'existe que par la permanente mise en œuvre de cette origine. Comme le dit joliment Valéry, « le langage n'a jamais vu la pensée[41] ». Le langage est toujours antérieur à celui qui le parle. En ce sens la langue n'est peut-être rien d'autre que la précession du soi sur soi, ce que ce Heidegger nommait « *der Ausstand an Sein können* », la réserve d'être en avant d'être.

La langue n'est en somme que la matérialisation rétrospective de la durée. Par son établissement même, le langage parle de ce qu'il ne dit pas, il est l'échelle mais pas la montée. « Non seulement le langage nous fait croire à l'invariabilité de nos sensations, mais il nous trompera parfois sur le caractère de la sensation éprouvée [...] le mot aux contours bien arrêtés, le mot brutal, qui emmagasine qu'il y a de stable, de commun et par conséquent d'impersonnel dans les impressions de l'humanité, écrase, tout au moins recouvre les impressions délicates et fugitives de notre conscience individuelle[42]. »

La langue est le matériau non tant de son usage que de ce qui passe par lui, ce qu'il dit précisément par l'intermédiaire de ces mots. Ainsi, à l'extrême pointe du général, il n'y a plus que du particulier. Il n'y a détermination du langage que sur l'indétermination préalable de ce qui *va* être dit. C'est la structure grammaticale d'une langue qui montre que ce n'est pas d'elle qu'il s'agit, qu'elle ne parle pas d'elle, mais de la langue ou plutôt, c'est moi qui m'en sers.

On a beau dire que le sens ne se manifeste que dans une langue, il n'y est pourtant que quand je l'y trouve, sinon… mais c'est encore du linguistique, je m'aperçois que je ne comprends pas mais qu'il y a du compréhensible. Il n'y a de sens que par la langue, mais c'est moi qui la comprends, c'est-à-dire que j'y mets ce qui n'y est pas et que je n'*entends* que de l'y mettre.

L'Avant-Babel, c'est tout le monde sur le point de parler. L'anonymat de l'intimité, c'est le « je » qui se sent dans cet être-soi identique à tout autre « je » (pour preuve le « langage »). À l'intérieur d'eux, tous les « je » sont en accord du simple fait d'être « je », mais il se peut très bien que dès que l'un d'entre eux ouvre la bouche, tout soit troublé, brouillé car mon « je-sais! » ne transmet pas forcément ce que je sais.

Le dit ne dit rien du dire : « *Un* inqualifiable *au delà du formel*, puisque dans le *Dit*, se (montre) *quelqu'un* et non pas *quelque chose*, quelqu'un qui n'est ni un dérivé ni une espèce de quelque chose; quelqu'un qui n'est pas une espèce de l'*Un*[43]. »

L'Avant-Babel, c'est cette fondamentale inaccessibilité de qui le parle. *Je ne suis réductible à rien, c'est bien pourquoi je parle.*

Le langage est toujours dans son autrement, ce qui est dit laisse en place ce qu'il dit. C'est bien l'inaliénable distance entre le dire et le dit qui rend la langue possible. Qu'il y ait de l'allemand, du japonais ou de l'anglais est inquiétant pour le français, toute langue inquiète les autres puisqu'elle ménage des possiblités inépuisables : il y a de l'autrement en dehors de la langue. Rien que de dire : « je parle français ou japonais » donne corps au parler, en borne le champ et fait apparaître l'autrement possible, un autre corps de langue. Si au départ déjà, celui qui parle, cherche ses mots ou s'ils lui viennent, c'est au sein de ce possible, c'est-à-dire le linguistique, que se situent aussi les autres langues. « L'unité de la nature humaine en tant que telle se prouve en ceci que les enfants de n'importe quel peuple, enlevés au soins de leur mère et mis dans quelque peuple étranger développent leur faculté de parler [*Sprachvermögen*] – dans la langue de celui-ci », écrit Humboldt[44]. Ce que Humboldt appelle, selon le langage de son temps « *die menschliche Natur* », la nature humaine est précisément le fait qu'un même être humain a une faculté de langage universelle, il aurait pu apprendre, on l'a vu, n'importe quelle langue, le linguistique n'est rien d'autre.

S'entendre

Le langage est ainsi par définition à la fois parfaitement objectif, il se laisse décrire de l'extérieur comme n'importe quel autre objet, et parfaitement subjectif, puisque cette description ne vaut que d'être comprise, or on ne comprend jamais seul, c'est pourquoi il y a signe et le signe n'est qu'accord, on en revient à Port-Royal[45].

La linguistique est de ce fait cette étrange discipline qui ne peut parler de son objet qu'au moyen de son objet : il faut un marteau pour taper sur un marteau ! Si je ne sais pas le bulgare, je peux moi aussi regarder un texte bulgare ou entendre un bulgare parler, mais il n'y a que par le bulgare que je peux comprendre le bulgare. Je ne peux pas le comprendre en anglais, je peux traduire le bulgare en anglais, mais ce n'est que de l'anglais que j'aurais devant moi et pas du bulgare.

L'étranger de passage en train de parler sa langue avec un compatriote est entre tous celui qui révèle à l'enfant le caractère de langue de ce qu'il entend. L'enfant le sait : « ils se comprennent, ces deux là ». Comme le montre cet exemple, on est exclu du « comprendre », on tend l'oreille. C'est que le contenu du linguistique est bel et bien le comprendre, le « sens » en d'autres termes, mais c'est que le sens n'existe pas en soi.

Je ne peux pas montrer un objet et dire c'est du sens. Rien ne m'indique, hors de la présence humaine, qu'il y a du « à comprendre », donc du « sens » et personne ne se ballade avec moi pour dire : « là il y a du sens ». On suppose d'emblée, à me voir, que je sais et que je comprends, sinon d'où viendrait qu'on s'adresse à quelqu'un dans la rue, si on ne supposait pas qu'il « comprend » : c'est bien ce qu'écrit encore Humboldt : « la vraie difficulté à inventer de la langue n'est pas tant dans la connexion et la subordination de l'une à l'autre, d'une foule de relations en rapport les unes avec les autres que bien plutôt dans l'insondable profondeur de la simple action de compréhension (*die unergründliche Tiefe der einfachen Verstandeshandlung*) qui à tous égards fait partie du comprendre et de la production de la langue même dans un seul de ses éléments[46]. »

C'est par là que tout commence, par l'incommunicable évidence du simple comprendre de chacun. Tous les systèmes de signes existants, quels qu'ils soient, ont en commun d'être supposés compris, c'est-à-dire d'être fondés sur un incommunicable qui ne peut être vérifié qu'*a contrario* par le contresens manifeste. Le comprendre s'impose tacitement de l'un à l'autre. Comprendre, c'est s'entendre. S'entendre, le français ici dit à la fois : je m'entends, je sais bien ce que je veux dire et je m'entends avec autrui, c'est-à-dire que nous comprenons la même chose.

Comprendre, c'est entendre et c'est s'entendre. On ne comprend jamais tout seul .Tout comprendre prouve l'autre. S'il y a du compréhensible et si je comprends, c'est parce que d'autres peuvent comprendre. Je ne comprends que ce qu'autrui pourrait comprendre. Un acte de compréhension propre à un seul individu, n'est pas de l'ordre du compréhensible. Celui-ci est par définition anonyme, le compréhensible, même s'il n'y a, pour l'instant, pas d'interlocuteur, est accessible universellement. Tout compréhensible est par nature, sinon il ne serait pas tel, universellement neutre. Il n'y a pas de compréhensible exclusif. En ce sens il est d'ordre mathématique. Le « comprendre » est en quelque sorte indépendant de son contenu. Si je sais que « *der Tisch ist rund* » et que la table est ronde veulent dire exactement la même chose, c'est parce que les autres, l'entourage et l'évidence me l'ont enseigné. Mais c'est moi qui le comprends et pour faire « voir » mon comprendre aux autres, je ne dispose que des signes. Je peux l'indiquer par gestes : je transmets mon évidence, mais c'est moi seul qui la ressens. Comprendre une langue, c'est lui équivaloir une autre. On ne comprend jamais que du possible.

La communauté de la langue

Et si l'étranger de passage se met à parler « en langues » ou à faire des bruits de bouche pour le plaisir, moi, je n'en saurai rien, je prendrai cela pour du sens puisqu'il « parle ». En tout cas, je cherche à comprendre, c'est-à-dire « à donner du sens ». « Cela veut dire quelque chose », forcément, puisque c'est du langage, me dit-on. Le langage, je le reconnais comme du vouloir dire, du faire comprendre, mais

« en soi » il n'est que sons ou gribouillis sur un sup-port (l'écriture). Tout ce qui « y » est, c'est moi qui le mets et personne ne peut en prendre connaissance à moins de recourir aux signes mis à ma disposition (le langage). Ces signes auraient pu être autres et ils le sont justement pour cet étranger de passage qui parle sa langue. Si les signes sont différents pour un étranger, c'est que le linguistique est *en soi* signalé de langue en langue, il est la marge, l'intervalle sans lequel il n'y aurait pas de possibilité d'y voir du sens. Je sais qu'on peut comprendre, qu'il y a du compré-hensible dans la langue étrangère.

Cet étranger qui passe et que je ne comprends pas, je peux le comprendre si j'apprends sa lan-gue. Or, qu'est-ce donc que ce pouvoir d'appren-dre une langue, comment se fait-il qu'une langue soit apprenable ? C'est donc que je puis en trans-former l'ensemble qui m'était incompréhensible en compréhensible, que je peux « y » étendre mon comprendre.

Car l'étonnant est bien là, je mesure 1 m 74 et je pèse 84 kilos (c'est un peu trop), je représente donc un poids masse absolument ridicule parmi les autres six milliards etc. Or malgré cela je « contiens » deux langues, le français et l'allemand. Jusqu'à ce jour je n'ai pas encore compris comment cela se passe ni ce qui se passe. Je sais simplement que quand je dis : « *Heute Nachmittag gehe ich meinen Enkel abholen* », je sais que je dis « Cet après-midi je vais aller chercher mon petit-fils ». Mais d'où vient-il que je le sache, que je sois sûr de ce que je dis ? Je sais bien entendu que de telles phrases sont à chaque instant vérifiables, mais d'où vient-il que je ne me trompe pas de phrase ?

D'où puis-je savoir que ce que je n'ai jamais lu ni entendu, je sente aussitôt comment le traduire dans l'autre langue ou que si on le traduit devant moi, je sache si cela « colle » ou non.

L'anonymat du comprendre

Mais il y a plus encore, ce que De Gaulle appelait « la foule innombrables des esprits » se partage dans sa diversité même en quelques rares langues. 5000 pour plus des 6 000 000 000 d'individus. Comment voudrait-on, sur le simple plan arithmétique, que ce petit nombre de langues en rendît compte ? Comment voudrait-on que chaque langue, de plus, rendît compte de l'unicité absolue, de la multiplicité des esprits qui la parlent ? Tous ceux qui parlent une langue la partagent avec tous les autres, mais sait-on au juste ce qu'ils partagent ? Eux seuls le savent et pour le dire, il leur faut cette langue même qu'ils partagent et qui ne dit ce qu'ils « savent » que dans les termes d'autrui.

Telle est bien l'essence du langage et son extraordinaire mystère : j'ai besoin de la langue pour dire la langue que j'interroge d'être langue. Je martèle, rien d'autre. Le langage est indication d'autre chose, surtout de la compréhension de l'interlocuteur, cela je le sais de façon certaine, mais ce que je ne sais pas, c'est le *comment* de son comprendre. « *Mit dem Wort ist schon der andere gegeben* », grâce au mot, il y a déjà quelqu'un d'autre, écrit Max Picard[47]. Mais ce « secret » m'est indiqué par le seul langage qui m'empêche aussi d'y accéder, je ne peux sauter dans la tête de l'autre. Je ne parle que parce que je ne peux rien dire de moi. Tel est bien l'*anonymat* de la langue. « Du langage (*Gesprochenes*) on ne peut parler (*sprechen*)[48] que par le langage », c'est pourquoi en ce sens on ne peut expliquer la langue elle-même, on ne peut que s'en servir[49].

Ces milliards de biographies différentes étaient toutes possibles pour chacun et toutes *sauf une* deviennent instantanément impossibles. Une fois que je suis né, plus personne ne peut être moi. C'est de cet *avant* dont les langues parlent *après*. C'est cette universalité des possibles qui établit « l'intercompréhensibilité » des langues. Le linguistique est ce qui fait que toute langue peut être parlée. Une langue est ce passage possible (avant d'avoir lieu) de « ce » chacun à chacun. On dirait que chacun est en sursis de ce qu'il aurait pu être, c'est pourquoi il peut parler.

Le linguistique est en effet en réserve, en arrière de lui-même, il est essentiellement potentiel et virtuel, sa disponibilité a pour particularité de devenir effective sous forme de mots et de phrases. Cette disponibilité est le *commun* même des langues.

Parler fait surgir ce qui fait parler et le résorbe en ce qui n'a aucune existence sans lui. On ne sait rien de l'avant de parler. Rien n'existe avant que le dit ne recouvre l'intentionnel, mais si peu qu'il faut recommencer. C'est comme pour la traduction, il y a toujours quelque chose qui ne passe pas. C'est bien pourquoi il y a traduction. Tout se passe comme si la traduction en tant que telle était sous-tendue de ce qui n'a pas été dit et ne reste jamais qu'un possible manqué. Toute phrase dite ou traduite n'est jamais celle qu'elle aurait pu être. Rien qu'à être dite, elle met fin à toutes celles qui auraient pu être dites à sa place, tout comme cette chaise-là empêche toutes les autres d'être celle-là. Rien de plus simple et rien d'aussi peu formulable; je ne puis dire le sens qu'avec des paroles qui ne le sont pas. Il est presque malséant de rappeler ici Pascal : « Un même sens change selon les paroles qui l'expriment. »

Chaque langue pour exprimer et assurer ce même sens possède sa manière, et le même, dirait-on, ne prend son épaisseur, sa densité que du fait d'être « transbahuté » à son insu de langue en langue. Peut-être n'y a t'il du sens dans une langue que parce que les autres langues sont possibles, comme si chacune était l'en suspens de l'autre, un quelque part possible de ce qu'on n'arrive pas à dire. Une langue est peut-être l'évocation d'une autre langue possible. Une langue n'est jamais que la fixation, le raidissement de tout le linguistique possible, heureusement repris par toutes les autres langues. Le « sens » c'est ce qu'aucune langue n'épuise. Une langue n'est langue que de ne pas l'épuiser.

Il n'y a pas d'événement linguistique irrévocable. Il peut tout au plus être unique, comme par exemple cet « *Einzel- und Frauenmenschen* » incoinçable,

« ces êtres humains tant isolés et que femmes » (à la rigueur) employé par un grand écrivain de langue allemande[50].

La langue ne fait pas de mystère

C'est en vertu de cette universalité que toutes les langues sont, à la fois, apprenables et traduisibles. Le particulier n'est, encore une fois, qu'une modalité de l'universel. Toute langue du fait de sa seule existence indique qu'elle est compréhensible. Quand on entend une langue étrangère dont on ne comprend pas un mot, on sait d'emblée qu'on pourrait la comprendre, qu'elle est entièrement accessible. Elle se manifeste avec tout ce qu'elle implique d'espace et d'histoire. Loin de n'être qu'un « code », ce qu'une langue n'est au demeurant jamais, elle se donne avec toute son ampleur, ses paysages, sa civilisation propre, il suffit de l'apprendre. Elle est continue par rapport à elle-même, rien n'y figure qui n'y soit dans son fil.

Une langue n'a pas de secrets apparents, il suffit de s'y mettre comme aurait dit Flaubert car lorsque Bouvard et Pécuchet « s'y mettent »[51], ils ouvrent la boîte de Pandore de l'infini de la langue humaine dont l'entassement, dont l'accumulation littéralement insensée de mots, de locutions, de grammaires de toute sorte ne fait que dissimuler ce qui sans cesse s'y *dérobe*. À toujours vouloir définir le langage à travers ce qu'on en entend et qu'on en voit, on peut aussi finir par ne plus rien voir ni entendre puisque l'essentiel en est son *maintien*, le fait qu'à l'employer on est assuré qu'il dure. À force de la prendre au sérieux, et c'est ce qui se passe si souvent pour nos chers « Penseurs » allemands, on finit par ne plus l'entendre, à n'en plus entendre l'ironie, le *Witz*, l'humour. Prendre les mots au mot, c'est retomber en enfance, dans gravité et componction, dans le *tierischer Ernst*, comme on dit si judicieusement en allemand, le sérieux de l'animal. Heine et Nietzsche ont bien vu que ce qui inévitablement allait tuer la philosophie allemande et la jeter dans la gueule du loup, c'était son infaillible sérieux. Il n'était personne parmi ces philosophes-là à se rire de la langue.

Le « poids spécifique » qui pèse apparemment « derrière » les mots est dans les mots eux-mêmes ou plutôt il est le mot lui-même. Les langues détournent la pensée, mais elle ne s'en aperçoit qu'en parlant. Les langues sont en quelque sorte le précipité du langage, la forme de la pensée manifestée.

Il y a irréductibilité du sens à son expression pour cette simple raison que je suis seul à comprendre le sens que je comprends. Je n'ai d'autre moyen de faire *entendre* mon comprendre que de l'exprimer : « Qu'en est-il du langage qui décrit mes expériences vécues (*Erlebnisse*) intérieures et que moi seul puis comprendre ? Comment est-ce que je désigne avec des mots ce que je ressens (*meine Empfindungen*)[52] ? », demande Wittgenstein qui fut tout autre chose qu'un logicien. Il a montré, tout au long de son affrontement à la langue, à quel point on ne peut dire les choses autrement qu'on ne les dit, comment il est impossible de leur arracher leur sens, de le faire apparaître autrement. « Nous parlons de la compréhension d'une phrase dans le sens où elle peut être remplacée par une autre qui dit la même chose; mais aussi dans le sens où elle ne peut être remplacée par aucune autre (aussi peu qu'un thème musical par un autre)[53]. »

C'est le sens dont on tente de faire passer le sens par son expression. Toute phrase est un extraordinaire raccourci qui suppose nécessairement la compréhension de l'autre. Il n'y a pas d'arrière-monde, ni d'arrière-sens : le mot « beurre » n'est pas le mot « margarine ». Il n'y a aucun mystère dans la langue, nul secret métaphysique, je ne sais de la langue que ce qu'elle dit et elle ne dit rien que nous le mettions. La langue ne contient rien que ceux qui l'emploient.

Ne rien dire, montrer

Dans les indications préalables de sa *Grammaire philosophique* Wittgenstein écrit : « Quelque chose n'est une phrase que dans une langue. Comprendre une phrase veut dire comprendre une langue[54]. » D'où reconnaît-on immédiatement le fait de langue ou plus exactement qu'il « y a du à comprendre » ? Toute question de langue est une question de sens et on ne peut parler du langage sans parler du sens. Même les considérations les plus techniques de la linguistique n'échappent pas à cette question du sens qui de toute façon est toujours à l'arrière-plan de tout discours sur le langage. Et c'est moi qui vous tire la langue car on ne saura jamais rien du comprendre de l'autre. Or, quelle est l'évidence de cette immédiate reconnaissance ? Quel est ce savoir d'arrière-plan au moyen duquel je sais d'emblée de quoi il s'agit ? Qu'est-ce donc que je m'attends à reconnaître dans une autre langue, dans la langue en général. Quelle complicité vais-je en attendre ? D'où sais-je d'avance que je vais ou que je peux comprendre, qu'il y a nécessairement du « comprendre » ?

C'est que la langue me renvoie nécessairement à l'autre, mais il s'agit là, bien sûr, d'un postulat, d'une affirmation aussi indémontrable que l'est la vision des couleurs. Je ne sais pas comment mon interlocuteur voit le bleu, pas plus que je ne sais comment il comprend. Le langage est peut-être la réalisation objective du comprendre tel que je l'ai en moi au moyen du langage. Comprendre, c'est avoir en soi l'anonyme, sinon ce ne serait pas compris (même par moi[55]), on en revient à l'exemple donné par Wittgenstein.

Comprendre c'est « reconnaître », on appelle cela en allemand « *der Aha! Effekt* », c'est un « flash » soudain, une irruption soudaine, mais dans une zone de reconnaissabilité, il y a toujours un moment où cela bascule dans le comprendre : une langue, c'est cela, ce qui à tout instant *manque* de basculer dans le comprendre. Le langage tout entier n'est que cela, il m'indique qu'il y a du «à comprendre»; les langues ne disent rien, elles montrent simplement, ce que moi seul puis comprendre et mon comprendre, je ne puis le montrer à personne, si ce n'est par l'entremise du langage qui précisément ne montre rien de mon comprendre, de même que je ne peux montrer à personne comment je vois le « bleu » ou le « vert »[56].

La phrase ne contient jamais ce qu'elle exprime et l'essence du langage est bien là, sans moi il n'est rien. Le contenu du langage est de renvoyer à celui qui le parle. La langue ne se parle pas elle-même, c'est moi qui la parle. Wittgenstein encore : « Comment peut-on parler du *"comprendre"* et du *"Non-comprendre"* d'une phrase; n'est-ce pas une phrase seulement quand on comprend[57] ? ». Toute la démarche passionnée de Wittgenstein, comme celle de Kafka, consiste à tenter, sans cesse, de capter ce point incernable où se manifeste le comprendre et dont le langage est la seule expression possible. « Son propre os frontal lui barre le chemin, il s'ensanglante le front contre son propre front », écrit Kafka[58].

Et si avant et après Wittgenstein on ne cesse d'y revenir et si « cela » ne lâche jamais personne, c'est bien qu'il y a irréductibilité de celui qui parle à son langage. Une notation de Paul Valéry le dit bien : « Un de mes premiers pas dans la direction du Moi-même qui s'est formé jusqu'à sa maturité 1910 – fut la découverte en 1892 de l'immense intérêt que doit exciter toute circonstance où nous ne comprenons pas – quand la question de compréhension se trouve nettement posée. Le ne pas comprendre bien reconnu et précisé doit engendrer une activité et une lucidité, comme une trouvaille[59]. »

Ne pas comprendre, c'est savoir, sentir qu'on ne comprend pas. C'est là que s'opère le surgissement du *soi à soi*, c'est, bien ce que dit Valéry, apparaître à soi-même dans le désemparement (*Hilflosigkeit*) premier qui donne lieu au langage.

Quand on ne comprend pas

On comprend comme on respire, sans y penser. C'est soudain quand on ne comprend pas que *comprendre* apparaît. Le comprendre se manifeste quand on ne comprend pas, on est renvoyé à l'opacité[60]. C'est une aspérité soudaine, un arrêt dans le flot de pensée ou de paroles. Ne pas comprendre est une hésitation, le pas de la pensée resté suspendu avant que d'apparaître (ou ne pas apparaître).

Il ne s'agit non pas, bien sûr, de la non-compréhension d'une langue étrangère puisque, si on ne la connaît pas, on est d'emblée dans le non-comprendre qu'on sait irréductible, à moins d'un apprentissage ou d'une traduction. Il s'agit bien plutôt de ce sursaut tout particulier qui se produit de façon soudaine au milieu de l'écoulement normal du comprendre. Qu'est-ce donc que s'apercevoir ne pas comprendre ? Et qu'est-ce qui se passe quand on se met à comprendre?

Tout se passe comme si le langage était là pour indiquer l'irréductibilité de la personne à toute chose et qu'il y échouait à chaque fois puisque le langage ne fait jamais voir que j'ai compris. C'est par la langue que cela passe et je peux m'y tromper. Il faut me croire sur parole, or personne n'y est contraint, telle est bien la réciprocité du langage : j'ai besoin que vous me croyiez et vous n'avez pas besoin de me croire. Je « me » prouve en n'étant pas vous et vous, vous me rendez la pareille. Que je ne puisse faire passer mon « comprendre » me garantit, paradoxalement, que je comprends puisque je suis obligé de faire des « pieds et des mains » pour déclencher mon comprendre en l'autre, pour que je voie qu'il me croit. Tel est bien le problème : je me *comprends* et *crois* l'autre qui à son tour ne peut jamais me faire sentir autrement son comprendre que par ce langage qui nous est commun et ne nous engage pas. Le langage rétablit les erreurs de langue. Le langage est en somme ce qui assure les langues d'être langues, de pouvoir, au bout du compte, ne pas s'y tromper.

Peut-être le langage est-il né de ce qu'il manquait, de son absence initiale. On n'avait rien pour dire et c'est de cette nécessité qu'est peut-être né le langage comme réparation d'une faille initiale que rien ne peut combler puisque ce sera toujours postérieur à la faille. On peut se demander si l'Avant-Babel n'en est pas la nécessité, il faut du langage, c'est de ce « falloir » qu'il est peut être né.

Sans parodier Wittgenstein, simplement tout le monde en est dès le départ au même point. Toute la démarche de Wittgenstein est de se mettre là où, comme le remarque Valéry, on ne comprend pas. C'est cela l'intéressant, ce « soudain », cet apparaître entre l'avant et l'après avant, soit je ne comprenais pas, soit il n'y avait pas encore cela à comprendre que je viens de comprendre. C'est au départ, en effet, que cela bascule en « comprendre » On a suffisamment montré[61] à quel point la logique détermine le comprendre, comment tout le système linguistique dans son raccordement perpétuel au monde extérieur et sa réalimentation de sens perpétuelle par celui-ci, institue littéralement l'évidence du comprendre. Il n'empêche que tout cela ne dit rien de ce surgissement en moi, par tous ces moyens, de ce comprendre...

Le prodigieux effort de clarté de Descartes ne fait rien d'autre que de tenter de mettre « la main » sur cet éclair du comprendre de la langue. Il y revient sans cesse dans *Les Règles pour la direction de l'esprit*, notamment aux règles XIII et XIV. Toute la démarche, si extraordinairement serrée de Descartes, la prégnance dans les Règles de l'idée d'étendue en est un exemple, consiste à retenir l'éclair, à l'étendre (troisième *Méditation*). On pourrait longuement parler de toutes les feintes de Descartes, de son exemplaire prudence pour dire ce qui au fond défie toute théologie, le « je pense ».

Le problème n'est pas linguistique

Toute la différence entre Descartes et Pascal est là. Celui-ci laisse à l'abrupt (et tant pis pour vous) l'éclair qu'il a en lui, jaillissant souverainement et comme il lui sied. Descartes dit, attendons un moment, voyons voir, étendons cela et partageons-le. La toute première et célèbre phrase du *Discours de la méthode*[62], première phrase qu'on cite rarement en entier ne veut-elle pas simplement dire que tout part de ce comprendre dont chacun est « bien pourvu », puisque chacun comprend. Il y a chez Pascal un feu constant, une soudaineté qui d'emblée ont sauté par-dessus ce dont ils parlent, tout en l'emportant avec eux. Rien de plus saisissant que le concentré, que la densité de Pascal, or le point de départ, le contenu est le même pour Descartes, comme pour chacun, c'est le « bon sens », à cette différence près, encore une fois, que l'un et l'autre ne se servent pas de la même façon d'une même concentration. Pascal la jette et tant pis ou tant mieux pour qui la reçoit, alors que Descartes tente de la cerner.

Comme historiquement et ce depuis le XVIIᵉ siècle le problème est définitivement sorti du domaine théologique, il a pu, progressivement, devenir « linguistique » (*sprachlich*) pour cesser de l'être avec Wittgenstein. Le problème est le langage lui-même. Une fois que la linguistique a dressé l'inventaire tautologique et constatatif de ce que tout le monde sait, il est de s'interroger sur ce savoir commun repéré par Descartes. Avec Wittgenstein réapparaît le foudroiement pascalien mais tenu à bout de bras de cartésienne façon. Or, on s'aperçoit que c'est inépuisable et que l'inépuisabilité (si on peut oser cette germanique excroissance) est l'essence même du langage. Il n'y a langage que parce qu'il y a fuite, « désemparement »⁶³. Et pourtant j'attends du langage qu'il me sorte de mon désemparement.

Il faut à cet égard relire le sublime *Anton Reiser* de Karl Philipp Moritz ce « roman psychologique » écrit entre 1796 et 1799 pour voir littéralement matérialisée la détresse fondamentale dont vient le langage tout entier, comme tentative toujours échouée de m'établir par les signes à ma disposition. Or, qu'en est-il de ce langage qui rend toute preuve impossible, qui oblige l'accusé à ne plus que battre des bras devant l'impossibilité d'établir la lumineuse et souveraine évidence de son innocence ? Est-ce la raison même du langage, comme si ce savoir commun de l'impossibilité de prouver établissait du même coup dans cette défaillance « l'éminente dignité », on aimerait dire la « sainteté » de l'existence humaine. La faillite sur laquelle le langage est construit n'est-il pas son sens même, comme le suggère Karl Philipp Moritz ? « Il [Anton Reiser] touchait là à la paroi infranchissable qui marque la frontière entre la pensée humaine et celle d'êtres supérieurs : la nécessité incontestable d'un langage en l'absence duquel l'activité mentale ne saurait se déployer d'elle-même, d'un langage qui n'est pour ainsi dire qu'un moyen de fortune nous permettant de nous rapprocher un peu de la pensée pure à laquelle nous aurons peut-être accès un jour. Le langage lui semblait une entrave à l'exercice de la pensée le portant, à l'inverse, il ne pouvait penser sans l'aide du langage[64]. »

Si je m'adresse à autrui c'est pour le prendre en flagrant délit d'être lui. Nous nous renvoyons l'un à l'autre dans notre fondamentale humanité. Si je parle, c'est parce que je sais qu'il y a l'autre : c'est par l'autre que je parle, je m'adresse à lui par l'institution du « pari » du semblable : le langage. Je sais qu'il en va ainsi pour ce qui est de cet instant- là pour l'autre. On retrouve ici le pari pascalien mais en quelque sorte « déthéologisé ».

C'est ce point de concordance présent et inaccessible comme fond de parole que Proust par exemple a toujours tenté de capter : « C'était un objet qui avait toujours été plus particulièrement le but de ma recherche parce qu'il me donnait un plaisir spécifique, le point qui était commun à un être et un autre[65]. » Et c'est par le langage que le point se manifeste.

C'est chez Valéry encore qu'on trouve une étonnante analyse du comprendre : « Quand nous nous comprenons l'un l'autre, nous croyons par cela seul à l'existence des choses dont nous avons changé les noms. L'échange crée... Mais l'échange se fait langage et par nature de cet instrument d'échanges, il arrive que se comprendre se confond avec convenir qu'on se comprend[66]. »

Le « comprendre » est bel et bien ce que je ne puis faire entendre et pourtant cette convention prouve bien qu'il y a du « à comprendre ». Les mots, « ce sont des expédients, que diable!... », écrit encore Paul Valéry, mais des expédients qui prouvent qu'il y des choses face auxquelles l'autre en est vraisemblablement au même point. Et c'est bien ce qui importe[67]. Les mots ne font pas foi, il n'y a rien en eux que l'*entente*.

La langue n'est pas un code

Un code est « un ensemble de règles, de préceptes, de prescriptions » aussi bien qu'un « recueil de conventions » (Dictionnaire Robert). Il n' y a pas de « reste » dans le code, ce reste dont parlait Molière dans *L'Impromtu de Versailles* et qui justement montre que la coïncidence n'est pas rigoureuse. Ce qui fait qu'une langue est une langue, c'est qu'elle n'est pas ce dont elle parle, comme si son impuissance à être ce dont elle parle est ce qui la constitue, elle déborde toujours. On ne peut pas se tromper sur un code, on peut se tromper sur un sens et surtout s'il change tout en restant le même comme le dit Pascal. Un code se sait, il n'y a rien à en comprendre, tout y est donné une fois pour toutes. Une fois établi, il reste invariablement pareil à lui-même, le code n'est pas une langue, même s'il peut être considéré comme un langage. Une langue, en revanche, ne cesse de monter son autrement, de déborder le code.

Toute la « linguistique » repose en toute naïveté sur cette supposition que la langue contient sa propre compréhension, qu'elle signifie donc. Mais elle ne signifie jamais par elle-même, mais seulement en vertu d'un consensus. Le tout marche parce qu'on le veut bien et qu'il faut bien s'entendre aux deux sens du mot. Comprendre, c'est établir dans la langue ce qui n'y est pas, c'est y trouver le sens, c'est-à-dire ce que je partage avec autrui. L'acte de comprendre me met dans l'intime de l'autre. Sentir, à l'intérieur de soi, c'est ressentir sans la présence du « moi ». A sa pointe extrême, le « moi » disparaît, il ne reste que ce « je ». C'est le « je » qui opère ce glissement dans l'anonymat, le « je » est commun à tout le monde. La langue française opère ici une distinction capitale qui la dispense de bien de faux approfondissements. C'est par le « je-nous » que s'établit le langage.

C'est de toute évidence un pur et simple postulat, de l'ordre peut-être de la certitude cartésienne

(IIIe et IVe *Méditations*), mais il n'en est pas moins la base nécessaire d'une certaine entente. Toute phrase, en tant que telle, suppose, du fait d'être dite, qu'elle sera comprise et recourt donc au même postulat. Quand on dit « Je vois où tu veux en venir », c'est qu'on croit voir le « fil », ce qu'on comprend, en dépit des mots. Si on lit les *Méditations* de Descartes, on sent le poids du comprendre devenir en soi de plus en plus compact au fil de la lecture. C'est une densité intérieure au lecteur qui se déplace en lui, c'est toute une gestation qui s'accomplit et se met en place. Il y a quelque chose qui devance la lecture au fur et à mesure qu'on lit et c'est de là que « pense » Descartes.

Dans la présentation de sa nouvelle traduction des *Méditations*[68] Michelle Beyssade écrit : « La phrase naît souvent de l'élan de la phrase précédente ou de ce qu'elle a dans son élan provisoirement laissé hors d'elle. » On ne saurait mieux décrire le comprendre : l'élan, c'est donc ce qui après la phrase, celle-ci une fois dite, entendue ou lue, reste et continue. On est ici de nouveau tout près de Bergson. Rappelant un certain nombre d'expériences contemporaines, il écrit qu'« elles établissent avec précision que nous n'entendons qu'une partie des mots prononcés ». Plus loin il ajoute : « Nous marchons, avec le sens perçu à la rencontre des sons perçus [...]. Les mots d'une phrase n'ont pas un sens absolu; chacun d'eux emprunte une nuance de signification particulière à ce qui le précède et à ce qui le suit[69]. » La compréhension, c'est ce qui est en suspens dans les intervalles. On pourrait citer bien d'autres passages du même type pris chez l'un ou chez l'autre.

Cet effet de suspension, de « provisoirement laissé » (Beyssade) est le comprendre en fonction duquel le texte a été construit, selon le « bon sens ». S'il y a texte, c'est que ce prolongement continue, le texte n'en est que porteur, sans plus. Et cela, ce comprendre qui se développe, cet éclaircissement intérieur est à la fois le comble de l'intime et de l'anonyme, c'est le « bon sens » tel qu'il est partagé.

De quoi parlent les langues ?

Mais c'est bien parce que l'édifice linguistique reste à peu près constant, des siècles durant, tout en évoluant, que comprendre est possible. La graphie a probablement joué un rôle essentiel dans la « reconnaissabilité » réciproque du comprendre, elle en a assuré les modalités (les mathématiques ont toujours été écrites). La *Logique* de Port-Royal fut, tout au long, un extraordinaire effort pour repérer le « comprendre », pour le noter, pour tenter de le capter, tout comme on tente de capter le poétique. La première partie de cette *Logique* s'ouvre sur les phrases bien connues que voici : « Comme nous ne pouvons avoir aucune connaissance de ce qui est hors de nous que par l'entremise des idées qui sont en nous, les réflexions que l'on peut faire sur nos idées, sont peut-être ce qu'il y a de plus important dans la Logique, parce que c'est le fondement de tout le reste[70]. » En d'autres termes il s'agit, de faire passer le dedans au dehors, de montrer le comprendre tel qu'il comprend. Il y a une sorte de violence, de véhémence, de radicalité inquiète dans la démarche des Messieurs de Port-Royal qui ne s'y sont mis que parce que c'était infaisable. On est moins loin qu'il y paraît de l'entreprise de Kafka ou de Wittgenstein : cerner l'impossible.

« Pas de plaisir plus scandaleux que de voir les mots trahir », écrivait Jean-Claude Brisville dans *La Présence réelle*[71]. Et c'est bien parce que les mots trahissent qu'ils sont indispensables, s'ils tombaient juste, il n'y aurait plus de langue et surtout plus de « parole », il n'y aurait plus rien à dire. Mais dès qu'il y a mot, il y a « indit », énormité de « l'à-dire », comme si chaque mot prenait la place d'un autre qui n'existe pas et ne se révélerait pas dans son manque, sans lui. Tout mot suggère son autrement : comment ça se dit en... ? Le code lui s'établit dans la rigoureuse superposition avec ce qu'il montre, un code ne signifie pas, il montre et le mot « chaise » n'est pas équivalent au dessin d'une chaise. Le code se suffit, le mot n'a de sens que dans son prolongement au sein d'une phrase.

On ne peut me croire que sur parole, je ne puis rien révéler, ni montrer de mon comprendre, si ce n'est l'éclat par lequel mon petit-fils montre son enthousiasme à comprendre. Mais cet éclairement soudain qui est le propre de la parole, je ne peux le faire passer à quiconque et c'est bien là l'extraordinaire de l'aventure du linguistique : il manifeste universellement l'intransmissible, seul signe du comprendre. Reprenons la citation de Wittgenstein : « Comment peut-on parler de "comprendre" et "ne pas comprendre" une phrase ; n'est-ce pas une phrase seulement quand on la comprend... Et comment je juge que je comprends[72] ? »

Wittgenstein pose seulement la question que chacun peut se poser, effrayante de simplicité et qu'il est insensé de poser puisqu'on parle. Il n' y a guère de situation plus massive ni plus évidente, mais il n'y en a guère de moins explicable. C'est aussi pourquoi Wittgenstein dit à plusieurs reprises qu'il n'explique rien mais qu'il décrit[73] : « On ne peut expliquer du dit que par la langue, c'est pourquoi, en ce sens, on ne peut expliquer la langue elle-même[74]. »

On ne peut que reprendre les mêmes questions, d'autant plus lancinantes, qu'elles sollicitent une réponse, puisque nous parlons tous. Or de se « servir » du langage, le rend impossible en tant qu'objet, taper sur un marteau avec un marteau ne dit rien du marteau. La langue ne dit rien de la langue qu'elle ne dise elle-même. Car qu'est-ce donc qui me montre que disant « ceci », je dis bien « ceci » ? Le « bilingue » sait qu'il dit « cela » dans l'autre langue, mais qu'est-ce qui le lui prouve ? D'où vient-il que, tout à coup on ait cette sensation de concordance ? Le sens ne se limite pas à une seule langue, elle est ce qui la *serre* sur son sens; mais elle ne le *tient* pas; elle n'est cette langue que parce que le sens peut s'exprimer autrement dans d'autres langues. Le sens, c'est de savoir qu'il peut se dire autrement, gardant la forme mais changeant de couleur ou l'inverse.

Cette soudaine coïncidence, précédée d'un instant plat où rien ne se passe, se fait fulgurance : on sait que c'est exactement cela, mais d'où le sait-on ? et dans le cas inverse, d'où sait-on que cela ne « colle » pas et d'où sait-on qu'on n'y arrive pas ? Il y a donc tout un environnement qui ne dit pas son nom et qui arrange ou non les choses. C'est bien pourquoi « lire une langue » n'est pas toujours la « savoir », si cette lecture ne lit pas en même temps tous les sens, toutes les nuances muettes qui l'entourent. Chaque fait de langue est accompagné de tout un champ pas forcément moissonné.

On sent un reste, un zeste dans la langue de départ qu'on ne peut faire passer dans l'autre, ainsi « zeste » ou « *schrill* » (suraigu). Quel est donc ce goût des mots ? Le « reste » est bien ce qu'il y a dans la langue et qui se manifeste par ce qui y manque. Parlant l'une, j'aurais aussi bien pu parler l'autre, je comprends l'une et l'autre et ce que je traduis est cela, ce même dont les expressions autres (si elles n'étaient pas autres, il n'y aurait pas de « même ») supposent à la fois un pouvoir parler et un pouvoir comprendre. C'est moi qui fais qu'il y a de la langue, il n'y a jamais de langue toute seule. Je suis là debout avec tout mon corps et la langue (!) sort par le haut du corps : je suis ce qui fait qu'il y a langue, elle ne parle pas hors de qui la parle : parler et comprendre ont pour origine : quelqu'un.

Il y a quelqu'un

On nous l'a assez fait savoir, tels mots manquent à telle langue, c'est donc que l'une est moins « douée » que l'autre. *Unheimlich*, *Sehnsucht*, *Ah nung, Heimat ou Heimweh*, nous les a-t-on cités et à satiété ! Or Jean-Jacques Rousseau, sans avoir le mot décrit, la chose à merveille dans *Les Rêveries du Promeneur solitaire* (l'épisode de la Bible oubliée dans le jardin et la peur de la nuit). Chacun désire nostalgiquement quelque chose (*Sehnsucht*), chacun en a l'intuition (*Ahnung*) et l'enfant français en internat pleure (*Heimweh*) de la même façon que le petit Allemand de ne pas être chez lui (*Heimat*). Les langues disent toutes autrement la même chose, mais aucune n'est plus langue qu'une autre. Nous l'a-t-on assez servi le génie philosophique de l'allemand ! Le « génie » philosophique français prend simplement d'autres chemins. Toute langue est au propre d'elle-même. Il paraît qu'on ne peut dire *sein* (être) en anglais, mais à qui fera-t-on croire que les Anglais ne savent pas ce que veut dire être ?

Ne pas comprendre peut aussi avoir d'autres raisons, le « sens » de certains mots peut s'oublier et s'oublie tout le temps du fait des changements de civilisation. Ainsi, dans peu de temps on peut être sûr que le mot « shoah » sera redevenu incompréhensible car la langue a aussi entre autres fonctions de cacher les grandes mises à mort de l'histoire humaine pour mieux les faire recommencer. Tout se passe comme si la langue en rendait la prise de conscience impossible.

Que les grands génocides du XXe siècle et le génocide nazi, en particulier, aient été si facilement admis et soient devenus un simple objet intellectuel[75] montre bien que l'usage de la langue contient en lui même les instruments de son détournement. Il n'y a pas d'usage des langues innocent. Notre époque montre à quel point on les fait participer au crime.

L'usage des langues et souvent, sinon la plupart du temps, a pour effet de conformer ceux qui parlent non tant à leur « vivre ensemble » qu'aux grands systèmes de soumission. Il serait intéressant d'examiner dans quelle mesure les systèmes de domination politique et d'asservissement ont contribué à la mise en place des langues : Quel est ce « comment » des langues ? De quoi nous parlent-elles puisque leur nature est d'ores et déjà d'être les écrans qui font apparaître ce qu'elles masquent et de masquer ce qu'elles font apparaître ? Toute langue se signale par l'inaccès qu'elle recèle tout en le montrant. En quoi le « politique » profite-il de la nature même du linguistique ?

L'expérience
du passage

Entendre les langues
et les traduire

Le goût de la langue

Quel est au juste le fil du sens si on songe que « soudain », « subitement » et « tout à-coup » veulent presque dire la même chose, mais pas tout à fait ? Cette marge-là est-elle déjà de l'ordre de la traduction ? Quel est, en effet, ce *recul* qui m'en fait embrasser les sens ? Quelle est cette appropriation à ce goût qu'ont les mots dont la pesée est équivalente à leur emboîtement ? Le « linguistique » c'est de sentir que c'est cela, que cela « colle ». « Subitement », « soudain », « tout à coup » ont le même sens mais non la même signification ni la même consistance... « le mirage quand on parle du langage, est toujours de croire que sa signification est ce qu'il désigne », écrit Lacan[76]. Je le sais et le sens par une foule d'occasions, d'occurrences de toute sorte, que le langage ne contient pas les sens en soi, mais qu'ils ne se manifestent que par lui. Donner la signification de ces trois adverbes serait au bout du compte aboutir à chacun de ces adverbes : c'est « soudain » qui dit le mieux le sens de « soudain ».

On dirait que le corps pèse sur le mot, on le sent adéquat à ce qu'il veut dire, mais par quoi et comment le sent-on ? Quel est ce goût de la langue car chaque langue se reconnaît immédiatement à son goût ? Tout se passe comme si la *saveur*, à la fois, apparaissait avec les mots et les déterminait comme pris en un cercle vicieux où celui qui comprend est à la source du mouvement l'amenant à comprendre.

« Subitement », cet adverbe-là, je sens tout ce qu'il *tire* de moi, or je ne puis le dire que par ce mot « subitement ». « Soudain » ou « tout à coup » de même disent exactement ce qu'ils disent et ils sont les seuls mots à le dire. Il n'y a pas d'autre mot pour le dire de façon aussi adéquate à « soudain » que « soudain » ou que « subitement » à « subitement ». Or ces mots combinés à d'autres forment de fil en aiguille le français et le français est le seul à l'être. C'est cela le linguistique, ce qui ne s'échappe pas et qui, tel qu'il est, ne peut être autrement qu'il n'est pour être tel. Le français ne peut se dire qu'en français. Le français est aussi français que soudain est soudain, on ne peut pas le dire autrement. On ne peut pas faire que le français soit l'allemand. Tout mot français, instantanément, se reconnaît comme français : il y a une sorte de spécificité qui fait que le français est le français et non une autre langue. Je le comprends comme tel. Ce que j'y comprends, au moment où je le comprends, je le comprends en français et en français seulement : *le ciel est bleu* n'est pas « *Der Himmel ist blau* ». Pourtant l'un et l'autre disent exactement la même chose. C'est bien là l'étrange : chaque langue est de façon aussi infranchissable elle-même que les personnes qui la parlent, dans sa possibilité d'être traduite.

La traduction, en quelque sorte, confirme la langue en elle-même. Son extrême évidence réduit l'« esprit juste » à sa propre langue. C'est en vis-à-vis que se révèle la richesse de l'une et l'autre langue par la réciprocité décalée des manques. Plus une langue est confrontée à une autre, plus elle prend vigueur et fermeté, justement là où elle se traduit le moins et où le sens apparaît en relief dans l'une et en creux dans l'autre. Toute langue en rend une autre possible. Et dans la mesure où nul mot, nul groupe de mots, nulle proposition, nulle phrase *n'épuisent* ce dont ils parlent, il ne peut y avoir qu'une potentialité linguistique encore inentamée ou seulement partiellement entamée. Il y a, en somme, du linguistique en réserve.

Tout se passe comme si ce qui est dit restait pris dans le *pli* de la langue, comme si toute l'amplitude de sa pensée propre était en elle, comme si, de fil en aiguille tout s'y reliait. Une langue se déclenche, se trouve, prend son « style » en elle-même, elle est son corps propre, sa consistance. L'une ne peut être l'autre au point que les « mots étrangers » (*Fremdwörter*)[77] introduits dans la langue s'y calent immédiatement, sont absorbés par elle. C'est toujours elle qui l'emporte, qui devinerait quelque temps après d'où les mots proviennent ? À cet égard l'allemand a le ventre solide, il absorbe absolument tout sans coup férir puisqu'il peut tout enfermer dans sa pince à phrases.

Une langue vient à sa suite, elle s'étend autour d'elle et se formule en avant d'elle, selon sa voix, son timbre à elle. Le français ainsi se laisse aller à son penchant français, il ne peut faire autrement et ce qui paraît pourtant le plus banal est aussi le plus étonnant quand on y réfléchit : cette sorte de dureté, de tranchant de la langue, en elle-même, contrainte qu'elle est de ne parler qu'en elle. Le français ne peut être que du français. Quelle est donc cette tournure qui la force à être elle, cette langue-là. « Le langage est pareil de tous côtés. Il faut avoir un point fixe pour en juger[78]. » Or ce « point fixe » n'est pas marqué dans la langue, c'est mon « comprendre » ou ma traduction qui l'établit. Je comprends les deux langues, mais comprendre l'une n'est pas comprendre l'autre et pourtant dans la tête, c'est la même chose. C'est moi et non la langue qui comprend, moi avec mon corps, moi qui parle. Je suis le seul à contenir mon savoir. On « prend » chaque langue autrement qu'une autre. Les langues ne sont que d'être parlées, sans les hommes elles n'existeraient pas. Tout ce qui est « linguistique » renvoie à quelqu'un, à un être humain, *ein Mensch* dit ici si bien l'allemand. Pascal ne s'y trompe pas : « Quand on voit le style naturel, on est tout étonné et ravi, car on s'attendait de voir un auteur et on trouve un homme[79]. »

Maine de Biran, l'un de ces grands esprits que l'on a écarté de la « philosophie », au profit des grands bavards germaniques, montre bien que les langues n'en sont que d'être comprises : c'est moi qui comprends « car le sens, l'intelligence n'est pas dans le matériel et la lettre du langage, mais bien et uniquement dans l'esprit qui entend et conçoit le langage », écrit Maine de Biran[80]. Comprendre c'est savoir qu'on pourrait en parler, si on avait les mots ou c'est parler parce qu'on a les mots. Il n'y a pas de compréhensible qui ne puisse être compris par quelqu'un d'autre.

Il y a convergence momentanée entre le « sur-le-point-de-se-faire » et son expression verbale, l'un donnant lieu à l'autre. Ma compréhension est en moi et ses lieux de manifestation sont multiples (les langues). Je choisis d'une certaine manière ce qui est mis à ma disposition : de langue en langue, mais je ne peux traduire que parce que l'avant de traduire est en suspens, non dans la langue de départ, qui ne sert que de repère, mais dans mon esprit. Ce que je traduis, ce n'est pas le texte, mais comment je l'ai dans la tête. Maine de Biran encore : « Les facultés une ou multiple d'entendre ou d'apprendre un langage donné ne changent pas de nature en se développant de manière à embrasser un système entier de verbes avec leurs temps divers, de substantifs abstraits de tous les ordres. La difficulté n'est que dans le premier pas que fait l'intelligence soit pour inventer, soit pour apprendre[81]. »

Or, ce premier pas se fait dans l'une ou l'autre langue, qu'importe, mais désormais je suis, pour ces pas-là, lié à l'une ou à l'autre. Je capte au fur et à mesure les éléments linguistiques qui coïncident avec mon vouloir dire, je les « comprends » et les « conçois » (Maine de Brian), mais les intervalles manquants n'en sont pas formulés. On reste présent à soi dans les intervalles silencieux de cet état intermédiaire, sans langue, mais où la langue, celle que je parle, peut à chaque instant survenir et me faire apparaître que je comprends. Comprendre est commun à tous les êtres humains et « l'essence » du comprendre est la même de l'un à l'autre. « Nul homme n'est capable de recevoir la vérité du dehors, ou de l'entendre si elle n'est déjà en lui[82]. »

Mon comprendre est antérieur à ce que je vais dire. Comme l'écrit le philosophe suisse Max Picard, « l'esprit est à ce point souverain qu'avec le même matériel sonore il peut forger les diverses langues[83]. ».

La variabilité du même est infinie, c'est bien ce que nous enseigne la multiplicité des langues et l'intéressant n'est peut-être pas tellement cette diversité que la possibilité de comprendre les divers éléments de cette diversité. La langue, en tant que je la comprends, fait qu'elle est cette langue là et que je comprends selon elle. En somme, toute phrase dite exclut toutes celles qu'elle aurait pu être. La pente même de ma langue conduit mes paroles, elles filent entre leurs berges et moi je reste devant. Je continue alors que ma phrase s'arrête et son appropriation cesse à l'instant même.

Traduire, *übersetzen*

Tout est à recommencer et je peux le recommencer autrement dans une autre langue et le reconnaître pour même : un instrument à vent ou un « instrument dans lequel on souffle » (*Blasinstrument*), un quatuor à cordes ou un « quatuor frotteur » (*Streichquartett*). Quand on est « debout en serpent » en allemand (*Schlange stehen*), on fait la queue en français. Un ver de terre est un « ver de pluie » (*Regenwurm*), alors que le ver solitaire est un « ver en ruban » (*Bandwurm*). Savoir vient de *sapere* savoir, avoir le goût (saveur), alors que savoir en allemand (*wissen*) vient de *videre*.

Une langue ne voit pas comme une autre, cela est banal, mais le banal ici est à spécifier : *Wagen hält* n'est pas « arrêt demandé » et ne peut pourtant que se traduire ainsi. C'est la civilisation qui traduit ici et non la langue mais comment détacher l'une de l'autre, comment l'une saurait-elle ne pas être l'autre ? Il est curieux de constater qu'un Français tire ce qu'un Allemand pousse : un tiroir, *eine Schieblade* (un poussoir).

La gestuelle de l'allemand n'est pas la même, cette différence indique l'infinie variabilité du même besoin d'expression, à travers de multiples modalités. On ne comprend pas la même chose de la même manière, d'une langue à l'autre, ni tout à fait la même chose. Ce qui fait qu'une langue est cette langue-là, c'est que toute autre langue ne l'est pas. Tout ce qu'il y a dans une langue est toujours autre que ce qui est dans une autre, or c'est justement ce qui disparaît dans la traduction. Ainsi les mots français, en allemand et ils sont nombreux, sonnent tout autrement qu'ils ne le font en français, *« eine präzise Unterscheidung »* ou *« ein progressistisches Pathos »*, c'est du mauvais allemand. Dès qu'ils sont transférés dans une autre langue, mots et phrases sont colorés par la langue qui les adopte, ils deviennent cette langue même, se situent dans son horizon et prennent pour champ les autres mots de la langue.

L'allemand voit souvent à l'inverse du français, un mammifère est en allemand un animal qui fait sucer (*Säugetier*), un trou de serrure est un trou à clé (*Schlüsselloch*). Comme on l'a vu, l'adjectif épithète est toujours devant le nom (*das rote Dach*, le toit rouge) et dans le mot composé le déterminant précède le déterminé, *ein Ziegeldach* est un toit de tuiles. Des exemples de cette sorte ne se comptent pas, peu de choses, au fond, qui soient identiques d'une langue à l'autre et pourtant elles sont toutes de la même façon « comprenables ». Il n'y a rien dans une langue qui ne revendique du « sens », c'est bien ce qui les fait être langues, mais ce sens n'est *jamais* en elles. L'essentiel échappe toujours aux langues. On en est tout naturellement reconduit à Wittgenstein, non forcément à la fameuse phrase sur les limites de la langue qui forment les limites de la langue, mais à cette autre extraite du *Tractatus logico philosophicus* : « Fait partie de la phrase tout ce qui fait partie de la projection ; mais non ce qui est projeté. Donc la possibilité de ce qui est projeté, mais non celui-ci, lui-même. Dans la phrase n'est donc pas encore contenu son sens mais bien la possibilité de l'exprimer » (3. 13).

Le sens, parce qu'il n'est que dans celui qui le « comprend » et le « conçoit », est ainsi traduisible de langue en langue. C'est bien parce qu'il n'est pas *dans* une langue que le sens est traduisible. Ce que la langue dit est justement ce qui n'est pas en elle, qui lui échappe, puisqu'une autre peut le dire tout autrement et tout aussi bien. Quand j'entends, je sais que je pourrais comprendre, c'est cela le sens. C'est le sens qui crée la diversité des langues. Une langue, c'est ce qui y appuie et « demande » à s'exprimer, c'est le malaise de qui parle, à ne pas trouver la parfaite coïncidence avec ce qu'il veut dire. Le sens, c'est ce qui reste à en dire, le sens en est le non-encore. Le sens n'épuise pas le sens, c'est bien ce que montre le calembour qui détourne la langue d'elle-même, en joue, s'en moque et d'autant plus joyeusement que le calembour est plus stupide, qu'on songe aux sauts de sens que permet la chanson (ma préférée) en son temps célèbre : « *As tu vu Monte Carlo, (monter Carlo) ?/ Non, je n'ai vu monter personne.* »

C'est que le malentendu est le sens même des langues. Il y a de quoi s'y tromper, voir la langue trébucher est la garantie et de l'un et de l'autre, de la langue et de qui la parle. Les lapsus, les cuirs, les *Versprechen*[84] intéressent, on le sait la psychanalyse, au plus haut point, mais ils valent aussi en tant que bafouillages, en tant qu'inadéquations exhibant la chair du langage, là où il apparaît en dépit des mots. C'est quand le langage défaille, qu'il hésite et manque qu'il est lui-même au plus juste, tel qu'il va se donner à entendre. Lorsqu'il y a accident de parcours du langage, il apparaît dans cette masse vide de mots qui lui donne naissance.

La langue, c'est avoir la possibilité de chercher le mot « juste », or d'où vient la sensation de la justesse du mot, si ce n'est de ce sens que j'éprouve en moi, sinon de tout ce qui environne le mot ou la phrase, tout ce à quoi ils renvoient. Inexistant sans le mot, le sens s'essaie au mot, jusqu'à ce qu'il trouve le bon ou du moins celui qui fera l'affaire. Sens et mot peuvent coïncider, mais le sens n'est pas un en-soi, il n'existe que par celui qui le trouve. Le mot-sens est coloré par tous ses voisins, par tous les « synonymes » qui n'en sont jamais, par tout ce qui à l'intérieur de la langue l'entoure. Du dehors un mot est un mot sans qu'on en entende le reste. Il ne suffit pas de « lire » une langue, encore faut-il l'entendre.

La certitude

De tout ce que l'homme peut rencontrer sur son chemin, ce sont les langues qu'il ne connaît pas qui sont ce qu'il y a de plus impénétrable et de probable à la fois, comme si elles promettaient d'autres possibilités du même vouloir dire. Elles ne peuvent jamais être l'objet d'une perception immédiate. Ces langues, il faut les apprendre; il faut donc quelqu'un et sans les gens, il n'y a pas de langues. Toute langue, lorsqu'elle est identifiée comme telle, signifie du « comprendre » et implique donc quelqu'un. Il y a toujours quelqu'un.

Le mot n'est pas plus le sens que le sens n'est le mot, mais le sens ne se manifeste que par le mot qui n'a pas de sens. Le sens, c'est de pouvoir toujours se dire autrement et d'en être « sûr » de ce sens. « J'agis en pleine certitude. Mais cette certitude est la mienne propre[85].» Je ne cesse de me poser la question comment cela se dit dans l'autre langue, c'est que ma certitude du sens n'est que d'être formulée.

Moi seul je sens si c'est cela ou non. Ainsi, je sais que cuire du pain, c'est *Brot backen* et que cuire des pommes de terre c'est *Kartoffeln kochen*. D'emblée, sans jamais avoir eu à les chercher, je sais le sens des mots. D'emblée aussi, je sais que ce n'est pas ainsi dans l'autre langue. Je sens l'absence de mots correspondants de façon quasi physique : le manque de mots, comme les mots, a une consistance. On sent le sens basculer sur le vide de la langue d'en face, comme si le sens pesait et avait une sorte de forme, comme si changer de langue était changer de schèmes *a priori*. Tout le problème est cette soudaineté, ce tout à-coup du comprendre, l'irruption du sens, *abbloch* dit l'allemand suisse.

L'étonnant est que je sache que *kochen* veuille dire « cuire avec de l'eau » et que *backen* veuille dire « cuire à sec dans un four » et que la traduction m'en vienne aussitôt ou que justement elle ne me vienne pas par le mot correspondant puisque « *cuire* » a les deux sens. L'allemand distingue *nur* et *erst* et d'emblée, je sais que tous deux signifient « seulement », l'un n'est pas l'autre, que l'un exprime un temps bref écoulé : « il est seulement quatre heures » (*erst*) et l'autre la quantité, « le livre ne coûte que deux francs » (*nur*) et pour une oreille allemande il n'y a pas de rapport entre les deux. Tout est semblable mais l'angle de vue diffère. C'est le même paysage comme peint par deux peintres différents.

Les contenus de signifiants identiques ne se recouvrent pas entièrement, mais ils peuvent d'une langue à l'autre contenir aussi des significations sans rapport avec leur contenu dans l'autre langue, on en a le goût sur le bout de la langue. Une langue ne se constitue que de ce qui la différencie d'une autre dans la similitude du linguistique. C'est face à l'autre qu'elle s'établit, qu'elle se contracte sur son sens, tout comme lorsque le mot lui manque.

La traduction le montre bien, on sent à chaque instant si cela « colle » ou non. Il y a du « comprendre » qui manque, tout n'y est pas. Ce qui est extraordinaire, c'est qu'on ait toute la langue silencieusement en soi, qu'on s'y repère immédiatement, surtout face à l'autre langue. Comment l'allemand n'est-il pas du français ? D'où sais-je d'emblée que *laut* n'a pas d'équivalent et que *sei nicht so laut* se traduit par « ne fais pas tant de bruit ». Qu'est-ce que je reconnais ainsi d'une langue à l'autre et qui n'est que dans ma tête ? Lorsque j'entends une phrase française, j'entends le français tout entier et je ne l'entendrai jamais comme j'entends une phrase allemande avec laquelle j'entends aussi toute la langue allemande dont le sens est rigoureusement le même

L'entrée « en » réalité, la façon d'aborder n'est pas la même d'une langue à l'autre. L'allemand et le français s'y prennent autrement pour dire la même chose, l'allemand le fait avec une efficacité grave, là où le français le fait comme à distance. On pourrait en donner d'innombrables exemples : Citons Max Picard qui sut très bien avant beaucoup d'autres identifier la nature du nazisme : « *Im Alten Testament hat sich das Wort wie eben erst ausgegraben zum Licht, es hat noch das erste Dunkel bei sich, es hat sich zum Licht hingeschwiegen.* » (Dans l'Ancien Testament, la parole semble s'être tout juste dégagée vers la lumière, elle a encore la première obscurité sur elle, elle est allée silencieusement vers la lumière[86].)

C'est là une phrase prise au hasard parmi des millions d'autres. Or l'allemand joue ici sur le côté concret, délimité de ses possibilités d'association, précisant deux fois le temps *(eben, erst* = seulement, dans le temps) et le geste du dégagement *sich ausgraben*, littéralement s'exfouiller, se dégager du sol, se dégager devient visible comme un geste. *Das Dunkel*, c'est l'obscur, tout adjectif pouvant aussi bien être nom. On peut faire de la langue ce qu'on veut, ainsi Picard crée tout naturellement « *hinschweigen* » (ici au participe passé = *hingeschwiegen*), *schweigen* = garder le silence, se taire associé, à la voix active à la particule *hin* qui marque la direction, l'éloignement vers. L'allemand établit comme une cartographie de la pensée, soudain gestualisée, devenue visible, là où le français se contente de l'énoncé, laissant l'interlocuteur ou le lecteur libre de son imaginaire. Dans la phrase de Picard l'imaginaire est guidé et se trouve

empreint d'un aspect « sépulcre et résurrection »,
« sortie de terre ».

L'allemand[87] invente à partir de quelques radi-
caux, assez peu nombreux, tous les composés verbaux possibles, chacun peut se fabriquer comme
Max Picard son vocabulaire à volonté. Tout verbe
peut être nom commun. On peut tout associer, com-
poser des mots à volonté avec le seul risque qu'ils
existent déjà.

L'allemand qui voit et qui rêve

Tout ce qui fait les langues être langues, c'est
qu'elles ne peuvent qu'être elles et n'être qu'elles,
aucune ne peut en être une autre en même temps
et, dût-elle introduire autant de mots « étrangers »
qu'on veut, en ceci les langues sont hommes, elles
sont toutes uniques et irremplaçables. Ainsi d'une
certaine manière, l'allemand, pourrait-on dire,
est une langue sans mots, peut-être profondément
ancrée dans le rêve, d'où l'importance du *Märchen*,
du « conte de fées », une langue sans mots puisque
toujours ramenée à des images de plus mélodiques.
L'imagerie est mouvante et colorée, et il est impossible, encore une fois, de prononcer une phrase allemande sans la voir. Il suffit de prendre une phrase au
début de la Préface de la *Phénoménologie de l'esprit* de
Hegel : « *Ihr Begriff liegt aber schon in dem Gesagten,
und ihre eigentliche Darstellung gehört der Logik an
oder ist vielmehr diese selbst. Denn die Methode ist nichts
anderes als der Bau des Ganzen in seiner Wesenheit
aufgestellt.* » (Son concept [celui de la méthode] est

déjà dans ce qui est dit et sa représentation appartient à la logique ou est bien plutôt celle-ci même. Car la méthode n'est rien, d'autre que l'édifice du tout établi dans son essentialité.)

Or cette phrase prise au hasard, elle aussi, repose, malgré son caractère parfaitement abstrait, sur trois articulations spatiales : *liegt* (*liegen*) = être couché horizontalement, *Darstellung* = le fait de mettre là debout (stellen) : *der Bau* = le bâtiment, la construction, *aufgestellt* = mis debout. On ne peut rien dire sans le situer, la langue allemande est toujours quelque part, elle indique les emplacements et les conquiert, comme l'histoire, hélas, nous l'a enseigné récemment.

Il y a pour l'œil allemand une certaine visibilité philosophique dont la psychanalyse est presque la figuration et la mise en scène. Elle n'est pas la même qu'en français : ainsi « refoulement » est vertical, on pense à fouler aux pieds, à une pompe refoulante et le liquide en principe va de haut en bas, alors que son équivalent allemand, celui de Freud, *die Verdrängung* est horizontal, comme le montrent les expressions suivantes, *jemanden an die Wand drängen*, (pousser quelqu'un contre le mur), *sich durch die Menge drängen* (se frayer un chemin dans la foule). Les images mentales qui en résultent sont situées dans l'espace autrement qu'en français. On ne peut lire Freud ni aucun autre texte conceptuel sans ce schématisme *a priori* partout présent. Une langue modèle ce qu'elle veut dire à son image, précédant toute expression, la devançant. Elle la contraint d'une certaine manière à être ce que la langue lui impose, à moins de « parler » hors langue. Or l'allemand une fois qu'on a commencé a en propre de ne pas s'arrêter. Le français s'arrête juste avant, l'allemand lui plonge dans l'irrévocable.

Le lecteur de langue allemande « ressent » avant de comprendre une sorte de consistance localisée dans un emplacement spatial plus ou moins haut, plus ou moins à droite ou à gauche qui accompagne ou fonde tout concept, ainsi *Vorstellung* (représentation) souvent employé par Freud. *Vorstellen*, c'est mettre debout devant, de même que *entstellen* et *Entstellung* veut dire à l'origine défigurer, rendre une chose laide, *hässlich machen*, car la laideur en allemand est haïssable (*hassen*). *Abstellen*, déposer verticalement alors que « *ablegen* » se dit pour du mou qu'on pose ou encore tous les *anstellen, zustellen, umstellen verstellen, durchstellen* et il y en a encore bien d'autres, font tous voir des gestes, des attitudes, des comportements corporels .

Freud s'intéressait certainement aux enfants *mit schlechten Anlagen*, ceux qui avaient de mauvaises habitudes et disposaient devant eux des images interdites (*Wichsvorlagen*). Dans certains cas il devait se dire : *Es kommt wie gelegen* (cela vient au bon moment, comme d'être posé), la *Gelegenheit*, l'occasion rêvée. C'est que l'allemand, bien qu'il n'en ait pas l'air, a lui aussi l'esprit mal tourné.

Il a de plus une extraordinaire capacité d'absorption et de mélange. Il semble doué d'une ouverture très large, s'ajoutant aux diverses langues que chacun peut avoir dans la tête.

La traduction et sa marge

Ainsi chaque « locuteur » de langue allemande comprend immédiatement le titre de deux récits de Kafka *Die Abweisung*[88]. Ce nom commun serait le substantif d'éconduire, or « l'éconduction » n'existe pas en français. Le sens du mot allemand se sculpte littéralement dans le vide du français, comme si la langue en creux pouvait être reproduite en relief par l'autre. Or, ce n'est que rarement le cas car une langue est aussi l'ailleurs de toutes les autres qui ne se remplacent pas l'une par l'autre. Une langue ne vient pas sur certains plans « combler » les « défaillances » des autres. C'est la résistance dans la langue que la traduction fait apparaître, c'est la résistance à se laisser glisser dans l'autre langue qui la fait soudain apparaître dans la concrétion du sens : « Croyant tenir fermement l'en soi de l'idée, on en cherche le langage, alors que déjà là, il ne sera lui-même qu'au regard de l'idée, qu'il faudra susciter : l'écriture est cet impossible mouvement À son insu, le philosophique est déjà son genre. », écrit le philosophe Patrice Loraux[89].

Depuis Bergson au moins, on sait que la langue découpe le continu et que les mots n'ont de sens que parce que leur champ les dépasse[90]. Il est impossible de circonscrire un mot autrement que par lui-même, c'est-à-dire qu'on ne saurait lui assigner de géographie précise. Comme tel il n'apparaît que frontalier, il est bord de sens, sans milieu repérable.

Le mot se resserre aux approches d'un autre, par son champ de phrase, jamais le même aux moindres variations de phrase. Le mot n'apparaît nettement que dans le renvoi par une autre langue, à cette frontière qu'est la traduction. Mais là aussi, c'est celui qui parle qui en ressent le champ qui n'apparaît que là où il est confronté au champ des autres, à la traduction par exemple, mais tout le reste lui échappe, personne ne sait ce que je fais des mots. Si l'usage à l'intérieur d'une même langue établit des connivences, des sous-entendus qui font l'essentiel de l'entente et de la compréhension, la traduction, elle, met en somme devant le fait accompli : il ne peut pas y avoir ou du moins il ne devrait, pas y avoir de variations essentielles d'une traduction à l'autre. Deux traducteurs aux connaissances linguistiques identiques traduiront presque de la même façon, mais tout est à la fois dans le presque et la proximité.

Toute traduction échoue et avoue son échec puisqu'elle se nomme traduction. Elle échoue rien que de ne pas être le texte lui-même. C'est quelqu'un d'autre, à chaque fois, qui nous restitue le texte à traduire et cela aurait tout aussi bien pu être un autre et encore un autre. Pendant ce temps-là le texte à traduire reste invariable, toujours pareil, avant et après. C'est cela l'essentiel, le texte demeure en place pendant que les traductions bougent et se succèdent et que les traducteurs s'échinent. Jamais la traduction, chacun le sait, ne sera l'original et c'est bien ce qui lui donne sa saveur et son sens. C'est bien pourquoi la psychanalyse marche si bien en France, c'est que par bonheur, les traductions ne fonctionnent pas et que chacun le sait bien. Il y a là-dedans une marge avouée qui permet aux traducteurs de se renvoyer leurs traductions l'un à l'autre et c'est ce qui les sauve. La traduction des textes psychanalytiques est déjà une forme de psychanalyse : elles laissent toujours en place du non-traduit, de *la marge*.

La marge qu'elles contiennent toutes et qu'elles révèlent, alors que la langue de départ ne peut rien en montrer, est ce qui résiste à la traduction, mais c'est là que la langue d'arrivée apparaît au traducteur avec toute sa pesée muette. Rien de plus fascinant que de sentir l'exacte pesée de l'expression de départ qui reste suspendue sur le vide de la langue d'arrivée

Ce que dit la langue de départ elle le dit comme elle le dit : *Und uff eimal warn wir all Amerikaner. Eijo, die han uns eifach gekauft* [91] n'est pas *Und auf einmal waren wir alle Amerikaner. Ah! Ja, die haben uns einfach gekauft.* La première phrase exactement semblable à la seconde est écrite en dialecte et la seconde en *Hochdeutsch*, en allemand officiel. Rigoureusement identiques ces deux phrases n'ont pas du tout la même tonalité. En français, cette phrase « et tout à coup on était tous américains ; eh, oui!, ils nous ont achetés, tout simplement » a strictement le même sens, mais n'exprime pas tout à fait la même chose.

L'essence de la traduction est dans cette marge infranchissable et une langue n'est une langue que d'être traduite, donc de faire apparaître cette marge. La langue humaine n'est que d'être à la recherche de sa formulation ultime et cette recherche est la marque même de son impossibilité. C'est ce qui rend les langues si intéressantes. Une langue sollicite littéralement sa traduction, c'est-à-dire qu'on voudrait entendre le même de cet autrement. La traduction est là pour prouver le sens, comme si – et c'est le cas – le doute planait sans cesse sur la langue, comme si sa défaillance était son essence possible. Car qu'est-ce donc qui ne cesse de changer dans la langue ? La langue est comme issue d'un doute, comme si à chaque instant il fallait en justifier la pertinence.

Tout se traduit mais…

Nathalie Sarraute disait en 1989 au metteur en scène Claude Régy : « les mots servent à libérer une matière silencieuse », et la traduction, du coup, en libère une autre. Elle apparaît dans un horizon, dans une consistance linguistique toute autre. Les mots d'une autre langue libèrent une matière silencieuse à partir d'une parole différente. Mais cette matière n'est pas un en-soi linguistique, elle n'est que dans la seule tête de qui traduit ou de qui parle. Cette matière n'est rien que chacun tel qu'il ressent ou désire[92]. C'est lorsqu'il échoue à traduire que le traducteur ressent le plus fortement le « linguistique » avec ses contours, sa pesanteur, son « sur le bout de la langue », sa forme, sa consistance et pourtant, il n'y a rien à faire, cela ne passe pas. Le « sens » est-il cette matière muette qui n'existe jamais en soi mais seulement en présence de l'impossibilité de la faire coïncider avec sa formulation ?

L'idéal serait de ce fait une traduction « neutre », seulement voilà, il y a toujours cette infranchissable marge de l'autre langue. La traduction apparaît justement dans ce minuscule intervalle qui n'existe pas et qui n'est que ce basculement de l'une dans l'autre. Une traduction « absolue » risquerait plus d'être de l'ordre du codé que du parlé.

Même le « mode d'emploi » le plus simple n'est pas le même et pourtant ce qu'il y a sur les emballages est à la fois le point zéro et l'apogée de la traduction. Le point zéro, parce qu'il y a indication pratique valant universellement : on ne peut comprendre ou faire ce qui est indiqué autrement qu'il est indiqué. Et l'apogée, puisque c'est sans « erreur » possible. La traduction y coïncide, sauf ignorance du traducteur, avec ce qui est indiqué à l'origine. C'en est l'apogée puisque, pour une fois, cela coïncide tant bien que mal. Cet exemple montre clairement l'essence même des langues qui est finalement de rester en rade, en remorque derrière qui les parle.

La traduction, c'est cet acte étrange et exaltant par lequel on tente de mettre en bleu ce qui est vert ou de faire aller à gauche ce qui va à droite. La traduction tente de faire de l'autre du même. Le traducteur se voue à cette impossible entreprise de faire passer l'ici dans l'ailleurs. Il passe d'une langue à une autre un peu comme le voyageur change de paysage et pourtant ce qu'on lui demande, c'est de rester ailleurs dans le même et d'apporter le paysage qu'il a quitté avec lui.C'est un peu trop pour un seul homme .

Quand on aborde le Mont-Blanc par Chamonix, il est énorme et pacifique, rond et harmonieux. De l'autre côté, au-dessus de Courmayeur, c'est une pente vertigineuse, glacée, presque verticale. Pourtant c'est la même montagne, on n'en reconnaît que la ligne de crête et à l'envers par-dessus le marché. C'est un peu comme dans le film *Le Serpent* avec Yul Brynner : celui-ci est démasqué par le FBI parce que, sur une photo, il est assis du côté soviétique du Mont Ararat et non du côté turc, comme il le prétend. La montagne y va dans l'autre sens, mais c'est la même montagne, la même roche, le même matériau. Il en va ainsi des traductions, elles suivent toutes la même ligne de crête. C'est sur la ligne de crête que se situe le langage.

Ce ne sont pas toujours les traducteurs qui trahissent, on le voit, ce sont les langues, elles surplombent, mais c'est au traducteur qu'on demande de les escalader. Ce sont les langues qui toujours au dernier moment font un croc-en jambe au traducteur. Or, celui-ci, et tout est là, est hors d'état de faire voir autrement que par la traduction ce qui fait obstacle : la langue de départ. Parfois on entend littéralement la langue d'arrivée vous dire son refus : « Ici je ne marche pas, tu te débrouilles sans moi » et c'est au traducteur qu'on l'impute. Il serait intéressant de faire l'inventaire des impossibilités dernières, des résistances infranchissables, elles en diraient long au creux des langues sur ce qu'elles ont à cacher, sans pour autant détourner de l'essentiel qui, lui, passe toujours.

Il n'y a jamais eu de grands textes intraduisibles et les traductions s'en écarteraient-elles plus ou moins, chacun sait que le texte originel est là pour en rectifier la traduction tôt ou tard. Le langage est toujours devancé par l'évidence de ce dont il parle, tellement forte que les bras lui en tombent et qu'il n'y a que le langage pour le dire. Le langage, à chaque mot montre qu'il n'y arrive pas, mais à quoi ? c'est justement ce qu'il ne peut pas dire, mais c'est par lui seul qu'on sait qu'il n'y arrive pas.

Dans la littérature du XXe siècle, l'écrivain le plus clair et le plus imperméable à toutes les interprétations, Franz Kafka, ne pose entre deux langues aussi contraires que le français et l'allemand que peu de problèmes et, de plus, seulement assez secondaires et pourtant les traductions, aussi justes soient-elles, sont toutes différentes.

Le traducteur ne peut parler que par la traduction, là où justement on ne doit pas l'entendre. S'il explique ou justifie sa traduction, s'il en rajoute, croyant bien faire, il ne traduit pas, il commente et, s'il traduit, on ne doit pas l'entendre, rien dans sa traduction ne doit parler de lui, montrer sa présence. Le travail du traducteur est par nature destiné à ne pas laisser de traces, le traducteur apparaît en s'effaçant, toute sa gloire est là : ne pas se faire voir. Pourtant toutes les traductions diffèrent peu ou prou et là où elles se ressemblent, c'est qu'on ne pouvait pas faire autrement. Il y a toujours des passages où toutes les traductions sont semblables, comme s'il y avait des universaux du langage, des zones qui se recouvrent totalement de langue en langue et ce ne sont pas celles qui font vraiment jouer l'activité traductrice.

Tout se traduit, une langue ne l'est que d'être traduisible, mais toute langue est aussi ce qui résiste à toute traduction, elle est ce qui fait qu'il y a traduction, son irréductible différence. Deux langues sont aussi semblables que deux visages et diffèrent tout autant l'une de l'autre.

On aura beau faire, rien ne réduira une langue à une autre, on ne peut tout faire passer dans une langue de ce qu'on ressent dans l'autre, toute traduction est nécessairement un échec partiel puisqu'elle ne peut pas faire ce qu'on attend d'elle, faire que le texte ait été écrit dans la langue d'arrivée.

Quand on traduit, il est des instants où on éprouve la même chose qu'en lisant un récit ou une fable de Kafka. Ce que le texte ou la phrase à traduire « disent » apparaît avec une clarté suffocante, mais il n'y a rien à faire, on n'y arrive pas et moins on y arrive, plus le « dit » du texte apparaît, avec toute sa consistance, son poids, au point qu'on pourrait le prendre dans la main et le soupeser. Pourtant cela ne passe pas, et parfois d'autant moins que c'est plus flagrant.

On a l'expression de départ en soi, découpée, exacte, coïncidant totalement avec elle-même, toujours sur le point de se dévider dans l'autre langue, mais toujours sur le point, à l'extrême bord, sans jamais s'y déverser, en attente de l'équivalence qui peut très bien ne pas être au rendez-vous. On reste en suspens entre deux, on gigote au-dessus de la langue d'arrivée, sans pouvoir y déboucher, on l'a pourtant proche à la toucher. Cela se précise mais ne passe pas. Pourtant cela passera un jour ou l'autre. Il y a toujours de l'équivalence quelque part. Tout le génie du traducteur consiste à la débusquer.

Moi, traducteur qui échoue à traduire, car à qui fera-t-on jamais croire qu'une traduction est totalement réussie, j'en suis exactement dans la situation d'*Un médecin de campagne* de Kafka, trompé, « avoir une fois répondu au faux appel de la sonnette de nuit – ce n'est jamais réparable ».

Avoir commencé une traduction, c'est déjà l'avoir manquée. Et c'est encore une fois Kafka.Tout reste en place, toujours à recommencer, toujours en avant de qui parle puisque c'est du linguistique.

Être sur le point de mettre en français un texte, une phrase qui ne passe pas, c'est faire au maximum dans l'ivresse du manque, l'expérience même du linguistique qui apparaît avec une intensité presque corporelle, là où justement la langue est en échec.Mais cet échec, il n'y a qu'elle pour le faire voir. Tout se passe comme si les langues parlaient le plus là où elles se dérobent, on en ressent un poids éclatant d'une plénitude incommunicable. Au comble du linguistique, on est comme le noyé qui cherche l'air. Rien peut-être, d'aussi évident et d'incommunicable que d'éprouver en soi ce bloc de sens avec ses arêtes et ses contours, sans qu'il puisse s'emboîter dans la langue d'arrivée.

Le traducteur est là, devant son texte, évident et irréfutable dont il sent presque corporellement la signification pendant qu'il tente de restituer ce *même* dans la langue d'arrivée. Il s'escrime et renonce au bout du compte, pourtant toujours à « deux doigts ». Rien de plus exaltant que ce bloc inentamable qu'on porte ainsi en soi. Le traducteur est au plus intense de l'expérience linguistique, lorsque, entre deux langues, l'évidence absente s'impose à lui. Mais, hélas, il est le seul à le savoir.

C'est à lui qui n'en a aucun besoin et sait le faire qu'on demande cette étrange opération pour des centaines, sinon des milliers d'autres qui, eux, en ont besoin et ne savent pas le faire. Le traducteur est par définition celui qui n'a pas besoin de traduire. On demande la traduction justement à celui qui n'a vraiment aucune raison de traduire, puisqu'il a et l'un (le texte tel quel) et l'autre (la langue d'arrivée).Il n'a pas même besoin d'imaginer le texte « traduit », il l'a tel qu'il est.

Le traducteur est cet écrivain qui a la chance de ne pas connaître l'angoisse de la page blanche, il la connaîtrait plutôt trop pleine, mais le traducteur est aussi celui à qui on reprochera tout et à qui on reprochera nécessairement les écarts de langage de l'auteur, ses inventions, ses glissements, ses variantes. Tout est toujours de la faute du traducteur, mal payé, rarement considéré. Et parfois pas même mentionné, mais sans qui le texte n'existerait pas.

« Une langue n'est jamais que la curiosité d'une autre »

Au départ, on sait que la traduction ne sera jamais l'orignal et cette marge est irréductible, c'est bien pourquoi on traduit. On part en voyage parce que le départ, une fois donné, c'est irréversible. On peut revenir certes, mais on est parti. Le traducteur établit en somme la garantie de la diversité commune des langues. On lui demande de faire qu'une même chose en soit une autre.

Chaque langue éconduit ce qu'on veut y dire, il faut toujours le redire et c'est toujours à redire. Une langue, c'est sans fin et la traduction est la cristallisation de cet effet qui, en retour, fait réussir les langues, puisque l'une échoue toujours à rendre compte de l'autre.

Sans traduction, il n'y a pas de langue, l'idée même qu'il ne devrait y avoir qu'une seule langue commune, un quelconque volapuk comme le nommait quelqu'un, un pidgin bafouillant est méconnaissance du fait de langue en lui-même. Les langues n'existent que parce qu'elles ne collent pas à ce que les hommes veulent dire, c'est là leur sens et c'est là leur défaillance fondatrice et c'est la preuve qu'elles donnent de l'existence de qui les parle. Cependant plus une langue s'universalise, plus elle devient originale. Chacun inventerait bien la sienne s'il était sûr qu'on le comprît : « Le rapport d'un homme avec une langue étrangère est un des plus beaux qu'on puisse établir et peut-être aussi celui qui ressemble le plus au rapport de l'écrivain avec les mots[93]. »

Une langue « étrangère » ne cesse de ménager les étonnantes surprises du même. La langue étrangère conduit à chaque instant à un élargissement du même dont les variables sont illimitées, c'est bien ce qu'indique la multiplicité des langues. Une langue n'est jamais que la curiosité d'une autre, c'est encore une fois, le « comment ça se dit en ...? » C'est bien parce qu'il y a toutes les autres langues que la mienne « fait sens », le sens n'est jamais que la patate chaude qu'elles se refilent de l'une à l'autre. Chacun en parlant s'efforce d'attraper « la balle au bond ». Toute langue, si on peut dire, se sait voisine d'une autre, mais aussi fondamentalement autre. Ce qui la fonde comme langue c'est que ceux qui la parlent la reconnaissent aussitôt lorsqu'elle est parlée par quelqu'un comme si d'être cette langue-là était une différenciation implicite « les différences qui séparent deux langues, par exemple, ne sont pas seulement des différences linguistiques, mais elles peuvent fonctionner comme indices pour mesurer des divergences de pensée », écrit Marlène Zarader[94].

Quand la philosophie
parle allemand

La langue est une ensorceleuse

Une langue, en somme, c'est ce qui enferme ce qu'on veut dire mais qu'on ne verrait pas sans elle. C'est un peu comme pour la philosophie ou comme pour les proviseurs de lycée. Que la vie serait belle sans mots pour l'une et sans professeurs pour l'autre.

Wittgenstein, encore, le dit mieux que personne : « La philosophie est un combat contre l'ensorcellement de notre entendement par les moyens de notre langue[95]. » La philosophie en est d'ailleurs la première victime et suicidaire par-dessus le marché, à la voir s'embarquer toutes voiles dehors dans l'extermination nazie[96]. Le « philosophique » est largement devenu un exercice verbal, une fois qu'on a avec Hegel découvert ce qu'après la pensée théologique, la philosophie est capable de formuler. Il y a en ce domaine, en allemand, tellement de langue et de combinaisons verbales possibles, qu'elles sont, grammaticalement, toujours en avance sur la pensée. Un radical associé à une particule ou une préposition permet des dizaines de variations au point que rien n'est plus aisé à fabriquer qu'un pastiche du langage philosophique. Il suffit de combiner les élements entre eux pour paraître obtenir de la pensée. On peut fabriquer du philosophique à sa guise, rien qu'en combinant des mots, comme le montre ce pastiche d'après Heidegger : « *Das Gestell wird zugestellt, als Zubehör des Herstellens, wird es aus Vorigem herausgestellt und dazu erst einmal aus der Liege gestellt, zu der es doch hergestellt wurde um dann verstellt umgestellt zu werden, als das was zur Stelle, als Fund vorgefunden werden kann, insofern es als vorgefundener Fund in seiner bewerkstelligenden Unbedachtheit im Bedenkenlosen des Hervorbringens, in die berechnnende Tätigkeit der Technik hineingestellt wird.* » (L'échafaudage est attribué comme une composante de la fabrication, il est édifié à partir de ce qui était auparavant et pourtant fabriqué et pour cela d'abord extrait de son gîte pour être déplacé, déformé, comme ce qui mis à disposition peut être trouvé en tant que trouvaille dans son utilité irréfléchie dans ce qui n'est pas pris en considération pour être placé au sein de l'activité calculante de la technique.)

Ce danger n'avait pas échappé à Schelling dans son « Jugement sur la philosophie de

M. Cousin »[97] : « Les Allemands ont si longtemps philosophé entre eux, qu'ils se sont peu à peu écartés dans leurs idées et dans leur langage, des formes universellement intelligibles : on en est venu à compter chaque pas qu'on faisait pour s'en éloigner comme un degré de maîtrise en philosophie. »

L'allemand est une langue comme toutes les autres, mais dont les possibilités d'association prêtent presque toujours matière à pensée. La pensée s'y fait au fil des glissements morphologiques fournis par la langue. La trop grande facilité de ce genre d'associations qu'on peut faire à volonté a toujours été évitée par les philosophes et même par Fichte dans sa *Wissenschaftslehre* (Théorie de la science). Il fallait dans la langue une résistance et une tentation, tout à la fois, comme si chacun avait eu à l'esprit la présence de ces sollicitations linguistiques et que le propre de la pensée ait été de ne pas s'y laisser glisser.Ce n'est pas pour rien que Nietzsche est un des grands écrivains de langue allemande. Les possibilités d'associations et de combinaisons, mises en œuvre dans le pastiche de Heidegger, ne sont pas forcément de l'ordre de la pensée, même si elles sont de l'ordre d'une sorte de poétique : une donnée une fois établie, faire le geste d'offrir et de tendre (*reichen*), ses variables, comme dans le passage cité plus haut, sont extrêmement nombreuses, mais comme ces combinaisons sont propres à la seule langue allemande, il convient de se demander si ce qui est propre à une seule langue est de l'ordre de la pensée en général.

D'où vient-il qu'on ne puisse pas vraiment traduire un texte, en l'occurrence ce pastiche, qu'on a
écrit soi-même.Tout se passe en somme comme si
les langues commençaient, et c'est peut-être cela le
« poétique » comme telles, lorsqu'elles échappent à la
traduction. Du coup, se pose la question du « quoi »,
la transmission de l'objet impossible à traduire est-
elle encore de l'ordre du langage, or c'est une question qui justement encore une fois ne se pose que
par le langage. Tout se traduit à l'exception de cette
marge qui est précisément l'individualité des langues et l'individualité de ceux qui la parlent.

C'est l'inaccessible secret de toute existence individuelle qui est le sens dernier des langues, vous
pouvez aussi peu traduire complètement que vous
pouvez me réduire : les langues sont la preuve de
l'irréductibilité de la personne aux choses, je reste-
rai en définitive malgré les espoirs des « libéraux »
d'aujourd'hui inassimilable aux machines à com-
poster du métro dont la viande que je suis gâche la
splendeur.

Une langue philosophique authentique ?
Ce n'est qu'au XXe siècle qu'apparaît une philosophie qui se crée son langage propre et de ce fait,
semble t-il, de nouveaux contenus de pensée, alors
qu'il ne peut s'agir aussi bien que de simples combinaisons syllabiques ou de regroupements sonores.
La langue allemande a, en effet, pour particularité
son abondance de compositions verbales possibles,
combinables en tous sens, selon des articulations

parfaitement logiques déterminées par les préfixes ou les suffixes verbaux producteurs de sens liés aux figurations spatiales qu'ils impliquent.

L'inépuisable subtilité des compostions de mots risque de se substituer, une fois que la ligne associative en est donnée, à la pensée elle-même comme si celle-ci était plus dans la langue que dans la pensée, comme si la langue était une sorte de « *es* » extérieur à l'homme, une sorte de matière pseud- prophétique qu'il suffit d'entendre.

La langue (*die Sprache*) qui joue un rôle capital est dans sa définition même tributaire de cette mécanique verbale. Non, encore une fois, qu'il s'agisse de mettre en cause une vision de la langue allemande comme propre au philosophique, mais force est de constater que l'usage de l'allemand, en tant que langue « authentique », a entraîné des dérives qui n'ont à ce point frappé aucune autre langue et qui se sont manifestées jusqu'au cœur du philosophique. Tout se passe comme si au cours de son histoire on lui avait toujours, quelques exceptions mises à part, comme Schopenhauer ou Nietzsche sinon Freud, refusé un mode d'expression autre que fatidique, sombre et abyssal. Dans un entretien avec l'écrivain et critique littéraire Peter Hamm, l'auteur autrichien Peter Handke dit lui aussi, et il sait de quoi il parle : « Céder trop à la langue allemande revient à être dévoré par elle. Car la langue allemande est une langue-dragon mystique. Goethe l'a très bien vu, quand il a voulu un jour traduire l'un des ses traités en français, il s'est arrêté en plein milieu, de peur que les Français le prennent pour un mystique tordu, en voyant son allemand traduit en français[98]. »

On connaît l'anecdote de l'inventeur du jeu d'échecs probablement perse qui il y a de cela quelques centaines d'années présente son inventeur au roi qui, émerveillé, lui dit qu'il lui donnera en récompense ce qu'il veut et l'inventeur de répondre qu'il ne veut pas grand-chose, seulement le nombre de grains de blé nécessaire pour remplir l'échiquier de la façon suivante : « 1 grain sur la première case, 2 sur la seconde, 4 sur la troisième, 8 sur la quatrième... etc. en doublant le nombre de grains jusqu'à la 64e case. Le prince trouva cette demande bien modeste. En réalité le nombre de grain à réunir est astronomique et irréalisable[99] ! »

Or l'allemand ne comporte pas seulement 64 éléments multipliables mais 2500 éléments verbaux combinables en tous sens par agglutination, c'est dire que le champ linguistique est pratiquement indéfini et extensible à volonté, si bien que le linguistique, comme le dit Handke, est à tout instant menacé par son propre engloutissement dans ce qui paraît encore être de l'ordre du « sens » mais n'est plus que jeu de combinaisons.

Ce qui semble ainsi pensée et « profond » n'est rien d'autre que du hasard combinatoire. Il est difficile d'échapper à la tentation de faire jouer aussi avant que possible les ressources d'exploitation d'une seule et même racine avec toutes les variations qu'elle peut impliquer, de quoi remplir, on le voit bien à l'exemple de Heidegger, des pages sinon des volumes entiers de vocables indéfiniment étendus. Dès lors on peut se demander ce qui se passe lorsqu'on traduit un texte philosophique de l'allemand en français, si ce n'est pas l'aberration en soi faite langue, si le philosophique ne révèle pas à travers l'allemand sa nature, s'il n'y pas conjonction de la part maudite dans l'une et l'autre, dans la philosophie et dans la langue allemande. La philosophie laissée à elle même produit ces monstres pour lesquels il lui faut la langue allemande, tout comme il faut à celle-ci la philosophie. Ensemble à l'œuvre, elles donnent Auschwitz.

Que traduit-on dans le sens inverse ? Quel est donc cet étrange objet de pensée, que la langue ne contient pas et qui reste pris en elle ? La nature même d'un texte, ce qui fait qu'on le reconnaît aussitôt et qui coïncide si parfaitement avec le déroulement verbal qui l'exprime, peut ne plus être reconnu comme philosophique dans l'autre langue. Sa traduction peut manquer son but. Pour être compris comme philosophique, pour être reconnu, il lui faut changer de termes et de mode d'expression et rester le même dans une autre langue. D'où vient-il qu'on puisse l'identifier comme le même ? Comment peut-on savoir que *Der Raum ist nichts anderes, als nur die Form aller Erscheinungen äusserer Sinne, d.i. die subjektive Bedingung der Sinnlichkeit, unter der allein uns äussere Anschauung möglich ist* (Kant, *Kritik der Reinen Vernunft* I, 1, 3 b), puisse être « L'espace n'est autre chose que la forme de tous les phénomènes des sens extérieurs, c'est-à-dire la seule condition subjective de la sensibilité sous laquelle soit possible pour nous une intuition extérieure » (trad. Barni-Archambault), qui aurait aussi pu être traduit autrement.

La traduction du philosophique est à la fois un acte linguistique et un état du philosophique, mais qui doit parvenir en l'état au lecteur. Pour que ce lecteur, à son tour, en éprouve le philosophique, celui-ci doit, si l'on peut dire, avoir le même poids spécifique, le même coloris philosophique. Le philosophique est une matière si ténue et si dense, à la fois, qu'elle est à la merci de la moindre nuance, de la moindre variation de la langue où elle s'exprime, il dépend des formes de la langue de départ et en adopte les détours, or ceux-ci changent du tout au tout dans la langue d'arrivée. *Wesen* n'est pas essence et le « mouvant » de Bergson n'est pas *das schöpferische Werden*. Pourtant la plupart des textes philosophiques, de Kant ou de Nietzsche se traduisent si bien que le philosophique est pareillement perceptible d'une langue à l'autre.

Mais qu'en est-il de ce philosophique lorsque celui-ci, malgré sa puissance et sa netteté, ne passe pas d'une langue à l'autre, quand une terminologie en est difficilement transmissible, comment peut-on transmettre le philosophique lorsqu'il y a basculement sur un vide de la langue d'arrivée ?. Est-ce alors l'expression du philosophique ou la langue qui est défaillante? Et qu'en est-il lorsque ce même philosphique verse délibérément dans le pire[100] ?

Le jusqu'au boutisme ou la *deutsche Gründlichkeit*

Une langue, dirait-on, voudrait bien ne pas être dans les erreurs d'une autre, dans ses « illusions grammaticales », comme le dit Wittgenstein. C'est le besoin de parler qui fait les langues et comme celui qui parle est toujours en avance sur ce qu'il profère et le dément du fait de sa seule présence linguistique, il y aura toujours quelqu'un *devant* elle.

L'admirable de la langue, c'est qu'elle rend le mensonge possible et préserve donc de la vérité comme donnée ou peut-être même accessible; Kafka (dans le *3*ᵉ Cahier in 8°) : « la vérité » est indivisible, elle ne peut donc s'appréhender elle-même, qui veut l'appréhender doit être mensonge. » Les langues et c'est en quoi elle sont si essentiellement et si exclusivement humaines, abritent de la vérité.

Quel est le silence compact, serré, ce *Schweigen* au fond de la langue allemande comme si jamais elle n'avait permis à se « locuteurs » d'assumer la *traversée* qui est le propre de toute langue. L'allemand traverse difficilement l'épaisseur, il ne peut franchir quand on le traduit, dirait-on, qu'en surface : *übersetzen* = traduire. La traduction passe à la surface du fleuve, mais non par son épaisseur.La traduction n'en emporte pas la matière, c'est que l'allemand est fort bien inventorié, exploré dans tous les recoins du matériau concret, comme si les itinéraires se perdaient toujours dans leur parcours géographique ou géologique, comme si la pensée ne cessait de s'accrocher à ses propres aspérités.

À tout instant l'allemand décrit son parcours, ce qu'a génialement su figurer Kafka sans jamais se perdre dans ces parcours. Il a su comme personne en éventer, en éviter les pièges dans lesquels tant d'autres, sont si souvent tombés. C'est que la « prison matérielle » de l'allemand a tant de détours qu'on est bien obligé de tenter d'en sortir au bout, il n'y a pas moyen de s'arrêter juste avant, il n'est pas possible de descendre de la phrase avant son arrêt complet. La *deutsche Gründlichkeit*, cette tendance irrépressible d'aller jusqu'au bout des choses, est peut-être en relation avec la construction même de la phrase allemande.

Le traducteur au four et au moulin

C'est qu'une langue ne rend jamais compte de ce qu'on veut dire, comme on sait et le besoin de traduire n'est que celui de trouver ailleurs ce qu'on n'a pas chez soi. Mais justement, la traduction est condamnée à rester chez elle puisqu'elle ne peut jamais s'exprimer dans la langue d'où elle vient, elle gratte désespérément le fond, mais sans pouvoir s'en dégager. Elle n'est jamais que la folle tentative d'être au four et au moulin ou de vouloir danser à deux noces à la fois comme le dit l'allemand. Toute traduction voudrait tant ne pas en être une. Si la traduction pouvait être l'original, tout serait « sauvé », ce serait la fin de tout « parler » possible. C'est justement l'infranchissable marge qui d'une langue à l'autre les déborde et appelle l'échec de la traduction.

On le voit, le langage est bien le véhicule de la pensée qui l'empêche de se mettre en place. Seul le langage fait apparaître ce dont il ne parle pas ou qu'il dissimule, qui se renvoie de langue en langue. Comme l'écrit admirablement Marlène Zarader à propos de la question fondamentale de la philosophie (*Grundfrage*), « ... il n'y a en vérité qu'une ligne,... une telle ligne, dans ce qu'elle a de plus propre, est un Pli dont un versant seulement est éclairé, l'autre demeurant pour ainsi dire latent[101]. » La traduction c'est bien cela, on n'en voit qu'un côté, alors qu'il y en a deux et tout le problème du langage est là. Il y a toujours une face cachée mais qui n'est que dans la face visible.

De plus, il y a un ailleurs des langues, elles ne sont pas au même endroit, leurs géographies ne sont pas les mêmes. Pourtant toutes les langues sont faites de la même eau, à l'infini, ce sont les rivages qui changent. La lumière de la mer n'est pas la même d'une région à l'autre et la couleur en change au moindre passage de nuages dans le ciel. C'est pourtant la même eau qui circule dans ses propres profondeurs et c'est toujours l'essentiel qui se traduit d'une langue à l'autre, à savoir ce qu'elle dit de chacun. Le langage est à tout coup l'échec de ce qu'il veut dire et ne devient saisissable que par cet échec.

Une traduction qui correspondrait exactement au texte n'en pourrait être que la répétition dans la même langue. Toute traduction ne vaut que par son manque, de ne pas être le texte lui-même. Elle est indice de ce qui n'est pas tout à fait, elle est indice aussi de cet inépuisable côtoiement des langues, mais elle ne peut rien dire de ce qu'elle traduit.

En effet l'essentiel, c'est au fond très étrange, est qu'il y ait tant de manières de dire tout autrement la même chose. Est-ce l'indice de ce que le réel, en soi, n'est que sa propre réalité, que la « chose » est variable selon les moyens qui l'expriment, comme si tout « objet » saisi par telle ou telle langue y devient bel et bien, ce qu'il y est. La langue en somme atteste de la relativité de tout objet de langue, ce qui est exprimé à l'intérieur d'un champ linguistique lui est spécifique. Les *Fremdwörter*, les mots étrangers importés en allemand où ils sont légion créent une distance muette qui est comme le substrat du langage. Ils s'y fondent mais dépendent désormais de la langue qui les entoure.

Une langue d'artisan, sans statut politique

Il existe un réel danger, c'est de succomber aux charmes de langue allemande, à son chant, à sa mélodie et de la prendre pour cette « enveloppe sonore du soi » dont parlait le psychanalyste Didier Anzieu. La profusion de l'allemand est si grande qu'on peut se mettre à l'abri en elle et échapper à ce qu'on nomme « l'effet de résonance ». L'allemand expose à la tentation de la satisfaction verbale, mais il y expose seulement ceux qui sont tentés de se glisser dans cette marée dont le siècle qui vient de finir nous a donné quelque idée puisque le philosophique y a accompli sa destination même : l'extermination du genre humain. Et si le philosophique tel qu'il se termine en langue allemande par Heidegger n'était rien d'autre que l'expression du destin criminel de l'espèce humaine puisque celle-ci, en toute liberté, n'a pas voulu entendre ce qui lui était si clairement dit ? Et si dans son aboutissement contemporain chez ce Heidegger le philosophique ou plutôt ce qui s'en voulait l'affranchissement en présence du « Seyn » n'était en effet rien d'autre que l'expression de ce nihilisme qu'avait vu venir Nietzsche, l'abolition ultime de l'espèce humaine par le ressentiment.

Plus, probablement, que bien d'autres langues européennes, l'allemand s'est, en tant que langue, trouvé exposé aux tragédies successives qui lui ont imprimé une marque désormais indélébile. Si le français a su du fait d'une histoire précise et nette, il fut dès le Xe siècle en gros celle de la France, se donner une forme, un contenu indépendant des circonstances, un visage lisse et comme détaché, il n'en fut rien de l'allemand. Venu tardivement dans le concert des grandes langues européennes, dégagé des innombrables patois et dialectes tous apparentés qui en faisaient le fond, il restera marqué de ce retard ou peut-être est-ce aussi ce retard qui lui donne son visage un peu robuste, carré, presque mal équarri que rappelle le fameux adage, *teutsch, schwere Sprak*, l'allemand langue difficile, ce qui au demeurant n'est pas exact. Son statut, son rôle furent, à partir de la fin du XVIIIe siècle essentiellement « intellectuels ». L'allemand passe avant toutes choses pour être la langue de la philosophie par la faculté qu'il a de se fabriquer du vocabulaire de façon presque illimitée, un petit nombre de « mots souches ». Ils ne sont guère plus de 3000 et permettent de faire tous les termes qu'on veut, au point que les combinaisons verbales précèdent la pensée qui en est issue, si bien que sur une ligne verbale quelconque on peut varier l'expression à l'infini et croire avoir atteint les arcanes les plus extrêmes de la pensée.

L'allemand a eu une histoire difficile, il n'a pas pu accéder au stade de grande langue internationale avant la seconde moitié du XIXe siècle, et encore, il n'acquiert pas de réel statut politique, il n'est ni langue diplomatique, ni langue de négociation si ce n'est pour des enjeux limités.

Leibniz déjà avait décrit l'allemand comme essentiellement pratique et propre à la description matérielle, une langue d'artisan : « Je trouve[102] que les Allemands ont déjà porté leur langue à un niveau élevé dans tout ce qui peut être saisi par les cinq sens et qu'appréhende aussi l'homme du ses commun; tout particulièrement dans le choses du corps de l'art ou de l'artisanat... » Plus tard à l'orée du XIXe siècle on dira des Allemands qu'ils sont un peuple muet, un peuple sans langue. Les Russes appelaient les Allemands les muets.

C'est tardivement que se met en place un langage « citoyen », il n'apparaît réellement qu'avec la République Fédérale, à la fin des années cinquante du siècle précédent. Or, nulle langue ne fut aussi malmenée précisément à cause de son inexistence politique.

Un « viol linguistique »

On sait que l'allemand fut défiguré, démantelé, détruit à jamais par le nazisme qui en moins de cinq ans entre 1934 et 1939 parvint sans encombre à détourner une langue d'elle-même pour en faire un instrument de domestication et de meurtre. Victor Klemperer a magnifiquement décrit cette entreprise d'anéantissement linguistique[103], ce fut d'autant plus aisé que l'allemand a la parole facile du fait de l'agglutination. L'allemand fut littéralement interdit de parole. En moins de trois ans, enter 1934 et 1938 le nazisme détruisit de fond en comble l'armature morale de la langue allemande pour la transformer en un jargon d'obéissance et d'adhésion absolue. La langue nazie a consisté à faire prendre les mots pour les choses, il y eut un véritable détournement de l'imaginaire à des fins meurtrières. C'est que la prétention de la philosophie allemande du XIXe et du XXe siècle à prendre les mots pour les choses et à croire la langue sur parole ne pouvait que mener aux catastrophes extrêmes.

L'allemand, curieusement, ne peut dire sous-entendu et le manque de mots, toujours réciproque, est toujours plus éloquent que leur trop-plein. C'est ce que les langues ne disent pas qui parle d'elles. Il y a en allemand un dehors une *Freiluftkultur,* une culture de plein air (il s'agit littéralement de la gymnastique à l'air libre) qui a pu influer la pensée et faire croire à une proximité particulière du langage avec ce qu'il signifie. Probablement, la langue allemande peut-elle, du fait de la visibilité et de l'extensibilité des compositions verbales, donner l'illusion de serrer le réel au plus près, sans vraiment laisser de place au *leurre.* Les choses en allemand se passent, pour ainsi dire, dehors, en pleine nature, là où en français elles se passent plutôt dedans, au salon. Rat des villes et rat des champs.

La grande illusion sur laquelle ont vécu les deux siècles précédents, c'est précisément celle de *l'Urwüchsigkeit* de l'allemand dont on dit non seulement qu'il est une belle plante, mais qu'il est une plante première (*ein Urwuchs*), d'où l'adjectif *urwüchsig*, c'est-à-dire d'origine. La « philologie » allemande des XIXe et XXe siècles a cru, en effet, que l'allemand est la langue des langues, la seule à l'être, les autres langues, surtout les langues romanes, n'étant plus que des matériaux utilitaires assouplis et édulcorés par l'usage[104]. L'allemand seul aurait conservé l'énergie et la richesse d'origine. Cette idéologie provoquera les grandes catastrophes que l'on sait, à partir de la guerre de 1870-1871 et la naissance d'un Reich hors de ses gonds[105]. On ira jusqu'à prétendre, que le français est inapte à la pensée[106] !

La langue nazie a été un viol linguistique commis en tout cynisme. Devenue l'instrument du crime absolu, la langue allemande en restera à jamais blessée, comme s'il y avait un fond de mots et de tournures toujours possible puisque une fois, déjà en exercice, il pourrait se répéter, comme si cette langue vivait sous le coup d'une menace issue d'elle-même et qui, malgré la totale rupture historique que représente l'Allemagne contemporaine, se trouve quelque part souterrainement présente.

Mais c'est par la langue que les Allemands ont su remonter au sein de leur propre passé avec une *Gründlichkeit* que permet justement la langue allemande. On ne soulignera jamais assez l'effort historique en Allemagne, à partir de 1967, pour comprendre et faire repentance sur la shoah.On ne soulignera jamais assez l'extraordinaire effort et la bonne volonté dont témoignèrent les citoyens de ce pays.

Il est probable que la langue a rendu service au moment de la mise au point de la « solution finale », *Endlösung* mot qui vient tout seul à un « locuteur » de langue allemande. Or là est bien le problème, la facilité de fabrication verbale entraîne t-elle la pensée correspondant ? Ce qu'on peut si facilement formuler est-il du coup facilité dans sa réalisation. La formulation verbale appelle-t-elle sa matérialisation ?

L'allemand est, dans son apparition imprimée, donc dans la diffusion des textes (1525, la Bible de Luther) pour l'essentiel de nature religieuse, sans pour autant être véritablement chrétienne. On sait l'importance linguistique de la polémique politico-religieuse en Allemagne au XVIᵉ siècle. Son expression « civile » s'est peut-être mise en route plus tardivement[107].

La constitution civile de la langue ne s'y est jamais imposée sans référence religieuse, même dans les polémiques politiques du XVIᵉ siècle, en arrière-plan (le concept de *Pflicht*, devoir inéluctable), à la différence du français qui devient langue politique dès l'édit de Villers-Cotterêts. Le pouvoir central français a paradoxalement fait naître une pensée d'opposition latente d'autant plus puissante que le pouvoir était plus nettement défini[108]. La langue politique semble née plus tôt en Angleterre et en France qu'en Allemagne, mais pour des raisons en rien liées à d'imaginaires « âmes des peuples », mais aux circonstances historiques et géographiques qui, elles, en effet, peuvent créer des « mentalités collectives », encore que la mentalité collective allemande soit très récente, post-napoléonienne. Il n'y avait en général auparavant, et c'est encore largement le cas, qu'une reconnaissance linguistique entre les dialectes et une division territoriale, on était bavarois, wurtembergeois ou hambourgeois avant d'être allemand.

Dire l'espace

Ce qui peut à la rigueur dépeindre la différence entre le français et l'allemand, ce qui fait que l'une n'est pas l'autre, ce sont bien entendu les différences grammaticales de toute sorte, mais n'entraînant pas nécessairement de divergences de pensée fondamentales. Il est vrai cependant que la construction très particulière de la phrase allemande composée d'une principale et d'une subordonnée n'est compréhensible et comprise qu'une fois qu'on ne l'entend plus. Il faut, répétons-le, que le tout dernier mot soit dit pour que la phrase soit compréhensible. Il en résulte une étrange compréhension en suspens qui a pu largement orienter à la fois la philosophie et la psychanalyse.

Il semble bien pourtant que la « saisie » de la réalité si elle est la même, n'en est pas moins différente. L'une est plus horizontale tandis que l'autre est verticale. Le *Stehen* de la langue allemande est peut-être quelque part différent de l'étendue française qu'on voit nettement représentée dans l'histoire de la peinture des deux pays.

Il semble que l'espace est dans la peinture allemande ou plutôt impériale des XVe et XVIe siècles plus affouillé, plus rempli, plus garni que l'espace pictural français, si toutefois de telles distinctions ont un sens. Le français ne parle pas de l'espace, mais il peint.

C'est tout le problème de la différence des zones de description entre les deux langues. Les écoles colonaises, celles d'Allemagne du Nord ou de Westphalie se caractérisant par des fonds très pleins, très ornementés, mais où le ciel libre est très rare, les intervalles très rapprochés. Les visages représentés sont tendus, angoissés et reflètent des expériences souvent effroyables. Les dominantes sont le rouge et le vert complémentaires des vêtements, tuniques ou robes, alors qu'à cette époque ils sont absents de la peinture française.

Pour des raisons certainement politiques, l'espace s'élargit dans la peinture française et devient le sujet même des œuvres comme chez Poussin ou Lorrain, un espace dans l'ensemble vaste et tranquille ou peu occupé, comme chez Georges de la Tour ou les frères Le Nain. La peinture allemande de cette époque n'existe pratiquement pas, l'Allemagne est devenue le champ clos des dévastations européennes et, lorsqu'elle existe, elle est encombrée de détails innombrables.

Tout au long des XIXe et du XXe siècles la peinture allemande se différencie de la peinture française dans l'ensemble par une radicalité, un aspect appuyé et des traits souvent tourmentés. Les Expressionnistes entre autres se caractérisent par des à-plats très nets, des contours très soulignés, aussi violents que possible.

Une certaine inquiétude, une contention, une énergie sur le point d'éclater marquent souvent l'art allemand et la question est à poser quant au rapport d'ensemble avec l'édifice sensoriel et linguistique tels qu'ils interfèrent.

L'allemand est peut-être plus une langue concrète, en prise directe sur le réel au risque de confondre la langue avec le réel et de la prendre pour vraie. L'allemand est une formidable caisse à outils où on trouve tout, dont on peut tout faire à proximité ou dans le lointain. L'appréhension du réel ne se fait pas toujours par le même côté, on entre dans la forêt par des lisières différentes. L'allemand est si on peut se permettre de pareilles images, une langue compacte, drue, fourmillante alors que le français est une langue fluide, un peu immatérielle sans jamais être abstraite, une langue qui jette un coup d'œil sans trop s'attarder. L'allemand, une langue qui dit *eine Schlacht*, un abattage, là où le français s'invente le somptueux « bataille ».

Le langage est la forêt humaine que les langues font voir, chacune trace un sentier différent dans le même massif. Il a été tenté au cours de ces pages de montrer, quelque peu, la façon dont « fonctionnent » deux langues si proches l'une de l'autre et que tout unit comme elles sont unies à toutes les langues qui sont toutes universelles à leur manière particulière.

Les langues humaines sont un inépuisable matériau de la diversité des approches d'une même réalité. Elles n'expriment pas le désarroi humain, mais en portent trace, de ce fait elles sont aussi l'objet de toutes les manipulations possibles. On l'a bien vu pour l'allemand qui fut victime d'un détournement de langue qui en fit exclusivement un instrument de mort et le corrompit jusque dans ses fondements puisque, au sein même de l'intime, l'adhésion et la menace ne cessaient d'être présents jusqu'à la respiration qui se faisait hitlérienne. Par le dévoiement de la langue on avait tenté de neutraliser les âmes à jamais, tout était corrompu par la manière dont le crime nazi avait contaminé jusqu'au vocabulaire.

Le français pour des raisons qui sont à déterminer n'a pas connu pareille dérive, du fait de l'histoire probablement et de la manière dont les hommes ont peu à peu fait la langue. Le français procède par grands survols, il s'attache moins aux détails du cheminement de la pensée et en précise plus les modalités. Mais il reste de toutes façons difficile sinon impossible de caractériser les langues. Toutes les langues sont aussi toutes les autres et contiennent toutes les manières possibles d'expression. Elles ne sont jamais définitives ni fixes, même si comme un visage, elles restent tout de suite reconnaissables pour ce qu'elles sont, elles-mêmes. Les langues se fondent toutes sur ce que le philosophe Edmund

Husserl appelle « l'énigme de la subjectivité » humaine[109].

Les innombrables diversités grammaticales, les innombrables déplacements de sens montrent à quel point le langage humain est inépuisable, interminable et atteste de l'infinité de chaque être humain dont aucun langage ne rendra jamais totalement compte et dont il est à la fois aussi la grandeur et la preuve.

Conclusion

C'est par les langues que le langage humain se manifeste, c'est leur multiplicité, leur diversité, leur « part échappée» rétive à toute traduction qui « sauve » les êtres humains irréductibles à toute définition ultime qu'on voudrait donner d'eux. Pourtant, chaque langue trace un sillon bien particulier et, à sa façon, conduit la pensée, mais qui ne s'y reconnaît que de déborder, d'être, à chaque fois manquée, comme si malgré sa précision, la langue où elle s'exprime ne convenait pas. Aussi puissante que soit son autorité, la « langue » est toujours débordée par qui la parle, par quelqu'un. Toute langue est son autrement dit, mais c'est moi qui le sais, les langues ne sont que ceux qui les parlent, à moins d'être « mortes ». Les langues, en effet, prouvent ceux qui les parlent et leur en dérobent la preuve tout à la fois. Chacun parle en dépit des linguistes et chacun dérange la langue, comme chaque philosophe dérange la philosophie. C'est ce « dérangement » qui fait vivre les langues. Elles sont le seul moyen donné à chacun de s'établir en tant qu'il est lui-même, mais l'innocent accusé, on l'a vu, ne peut prouver son innocence, telle est bien, en revanche, la faillite originelle du langage, son éblouissant paradoxe.

J'ai besoin des autres pour être cru, je m'expose à eux et ils peuvent ne pas me croire, je suis alors rejeté dans l'indémontrable, dans la honte, ce moment de défaillance où le langage se manifeste par son manque car c'est bel et bien ce manque qui fonde le langage. La parole humaine est sans cesse tenaillée par son défaut, par ses lapsus qui font apparaître l'autre côté du langage puisque ce qui est dit annule à jamais ce qui aurait pu être dit. « La pensée rêve de déborder ses mots », écrit le philosophe Patrice Loraux[110], les mots, d'ailleurs, le sont de se déborder eux-mêmes, d'être tous autrement traduisibles. Le langage à chaque instant est sur la corde raide de ce qui aurait pu être dit autrement. La phrase, une fois dite, exclut toute autre phrase qu'elle aurait pu être : ce qui est dit aurait pu être dit autrement ou plus tôt ou plus tard. Le langage ainsi, tel qu'il donne la parole humaine, est dans sa disponibilité même, flottant, indéterminé. On ne sait jamais ce qui va être dit, on n'est jamais sûr, même des clichés les plus convenus. La langue toute entière est à la disposition de quiconque la parle. Le langage, en somme, n'échappe jamais aux incertitudes, aux erreurs, aux hésitations ni aux mensonges, aux angoisses de qui l'emploie, il ne s'en sépare pas et n'est que sa propre multitude, à chaque instant, parlé qu'il est, simultanément par des millions d'êtres humains.

Il y a toujours plus de langage qu'il n'en faut, au point de s'y noyer, de s' y tromper et d'y être pris par défaut, donc de s'y livrer, exposé à la honte première. Le langage humain n'est que la surface du non-dit, la pellicule sur l'autrement dit. « Dès que je prononce un mot, cent siècles tenus dans l'ombre, cent milliards de paroles gelées se mettent à parler et s'ébrouer dans l'air », écrit Arnaud Villani[111].Tout ce qui a été dit contient tout ce qui ne fut pas dit et ne le sera pas, puisque recouvert par ce qui a été dit. La langue emprisonne tout ce qui aurait pu se dire autrement et que chaque langue dit à sa façon, de quoi ne pas les croire sur parole.

Le langage, comme le disait Michel Foucault, peut bien être devenu objet, tout au long du XXe siè-cle, « il a beau être lui-même disposé, déployé et analysé sous le regard d'une science, il ressurgit toujours du côté du sujet qui connaît dès qu'il s'agit pour lui d'énoncer ce qu'il sait[112] ». Le langage a beau être l'objet, en effet, de tous les théoriciens possibles, ils ont beau en décider, il ne leur en échappe pas moins puisqu'il est celui de chacun.

Tout le monde parle, on pourra emprisonner le langage tant qu'on voudra et les régimes fascistes et totalitaires ou autres s'y sont assidûment employés, en dernier ressort et quelque fussent les novlangues, il y aura toujours une panne quelque part et d'autant plus que le langage sera plus réglementé. Les pouvoirs s'exercent par les langues, toutes plus ou moins instruments d'autorité, mais plus elles le sont, plus elles se dévoilent et deviennent du même coup instruments de contestation, de critique et de redécouverte. Mais il est à craindre que cette voix de fond qui parle dans les langues soit, plus tôt qu'on ne le croit, submergée par les retentissants appels au meurtre dont l'Europe a tant pâti. Elle risque fort, consentante qu'elle est, à force de novlangues faites d'adhésions fanatiques, d'être le théâtre de génocides, en comparaison desquels, comme le disait, paraît-il, le philosophe Jacques Toussaint Desanti, la shoah n'aura été qu'une « aimable kermesse.»

La lecture de Heidegger
ou comment l'intuition
est confirmée par les textes

Toute lecture de jeunesse est une aventure personnelle dont le sens ne peut passer que par le récit autobiographique qui en établit le tracé. A cet égard la lecture de *Sein und Zeit* fut une expérience fondamentale, une véritable sidération à l'égale de Rousseau ou Kafka, lectures sur lesquelles s'édifie toute une vie.

Il se trouve que ma langue maternelle est l'allemand et que, né de parents déjà adultes en 1900, j'ai entendu dès ma naissance la plus belle, la plus juste des langues allemandes qu'un enfant puisse entendre. Toute l'enfance a été nourrie de Grimm, de Luther, d'Eichendorff.

Ces détails-là ne sont pas illustratifs, on verra qu'ils mènent au cœur de ce qui est en question. Les extraordinaires hasards de l'histoire puisque, comme on dit en allemand, *Unkraut vergeht nicht,* (« la mauvaise herbe ne périt pas »), j'étais toujours là en 1952 et à Kiel, par-dessus le marché, à faire de la voile sur la Schlei avec Walter Bröcker. Professeur de philosophie à l'université de la capitale du Schleswig-Holstein, il y représentait la pensée de Heidegger, à laquelle il m'initia, sans grand enthousiasme, il est vrai, la voile primant tout. Pendant ces temps qu'on regrette tant aujourd'hui dans les milieux convenables, il semble n'avoir été qu'un *Mitläufer* (un comparse).

Au retour de notre partie de voile, je racontai à Ludwig Landgrebe, mon beau-frère de vingt sept ans mon aîné, et détenteur de l'autre chaire de philosophie à l'université du lieu, qu'avec Bröcker nous avions discuté philosophie, que je lui avais parlé de ma découverte de Kant et qu'il m'avait conseillé de me plonger dans Heidegger.

Landgrebe avait été, après Edith Stein, le dernier assistant de Husserl en tant qu'émérite. Il avait été notamment le rédacteur et l'éditeur de *Erfahrung und Urteil,* (Expérience et jugement). Husserl écrivait tout en Gabelsberger Stenographie, ils n'étaient déjà plus alors que trois à pouvoir déchiffrer, en plus du fameux Léo van Breda, à savoir Landgrebe, Eugen Fink et Walter Biemel. C'est Landgrebe qui put contribuer à sauver l'ensemble du Husserlarchiv dont il devint le conservateur à Prague d'abord, puis avec van Breda à Louvain.

Avoir été l'assistant du juif Husserl et être marié à une *Geltungsjüdin*[113], ma sœur, c'est-à-dire à une juive qui ne l'était pas religieusement, était plus que suffisant pour ne pas pouvoir occuper le moindre poste universitaire en ces temps de richesse intellectuelle de l'Allemagne, comme on nous le susurre aujourd'hui en nous servant l'ami Carl Schmitt. Il faut d'ailleurs signaler que cette femme survécut abusivement, en vertu de la généreuse loi dite des *Mischehen* qui ne prévoyait son élimination que pour août 1945. Landgrebe est de ce fait le seul philosophe allemand en poste en 1950, avec peut-être Ebbinghaus, mais celui-ci était au moins un *Mitläufer*, à ne s'être, peut-être d'ailleurs à son corps défendant, absolument pas compromis avec les forces vives de la nation allemande, puisque c'est ainsi qu'on ne va pas tarder à nous présenter la chose.

Landgrebe ne s'entendait guère avec Bröcker et, peut-être jaloux de son éventuelle influence, il prit dans son cabinet de travail l'un des deux exemplaires qu'il possédait de *Sein und Zeit* et m'en fit cadeau. C'était l'édition de 1941 chez Niemeyer, à Halle, sans dédicace, mais avec cependant les deux *Fußnoten* (notes de bas de page) des § 7 et 10 consacrées à Husserl. Les caractères d'imprimerie étaient ceux des *Jahrbücher für Philosophie und phänomenologische Forschung* (*Annuaire de philosophie et de phénoménologie*) – volontairement à mi-chemin des caractères latins et gothiques.

Je me plongeai dans cette étonnante lecture. Je ne fus jamais déçu, je ne trouvai jamais ce que j'attendais et fus toujours surpris à la fois de ce supens permanent, de cette attente d'ailleurs excitante qui ne cessait de planer et, étonné tout de même des attaques contre Descartes, dont la vision me semblait étonnamment scolaire et naïve, telle qu'elle est exposée au §20. Je fus bien sûr ébloui par le *Umhafte* (l'autour) et la *Räumlichkeit* (spatialité) des §§ 22 et 23[114].

Mais un vague malaise, un sentiment de plus en plus précis d'être interdit de séjour me gagnèrent au fur et à mesure de la lecture. La langue était impérieuse, sans répliques, un allemand de commandement qui me rappelait les allocutions de Tralau, le directeur nazi, toujours en uniforme dans la cour de mon école communale de Reinbek im Holstein, mon village natal. La langue ne laissait pas d'être assez effrayante, autoritaire, faite de coups de poing incessants, de phrases presque toutes pareilles et toutes à charnière.

L'audace et la force linguistique emportaient le lecteur, mais il ne s'agit bien sûr pas ici d'apprécier la portée philosophique de S/Z (Être et temps) mais uniquement son visage stylistique, la façon dont la langue s'inscrit dans l'oreille du lecteur car l'oralité y est particulièrement importante. Il y a un ton affirmatif, une accentuation sensible à la lecture à haute voix, soulignée par l'emploi fréquent de l'article défini en début de phrase.

La première surprise de lecture vint au § 4 de l'emploi du mot *Vorrang* (préséance) qui fait dresser l'oreille comme *Vortrupp* (avant-garde). On ne peut se défendre à entendre *Vorrang* de penser à un ordonnancement militaire. De plus c'est un mot assez rarement employé en philosophie et évoquant d'étranges souvenirs.

Plus étrange, en revanche, fut l'apparition au § 9 de : « *Die beiden Seinsmodi der E i g e n t l i c h k e i t und U n e i g e n t l i c h k e i t – diese Ausdrücke sind im strengen Wortsinne terminologisch gewählt – gründen darin, daß Dasein überhaupt durch Jemeinigkeit bestimmt ist (p. 43).* » (Les deux modalités d'être de l'authenticité et de l'inauthenticité – rigoureusement choisis dans le sens terminologique des mots – sont fondées en ceci que le Dasein est déterminé par la « miennité ».)

Ce qui est en question, ce n'est pas la *Jemeinigkeit* tant moquée par Thomas Mann[115], c'est bien plutôt l'*Eigentlichkeit* opposée à l'*Uneigentlichkeit.* On ne peut se défendre à entendre *Uneigentlichkeit* de penser à *undeutsch* (non allemand) et j'y ai pensé rien qu'à lire ces mots. Tout ce passage est écrit dans un style comminatoire et on se sent pris d'une certaine angoisse à l'idée de se trouver soi-même dans l'*Uneigentlichkeit,* native en ce qui me concerne. Un peu plus bas, il est question de nommer *diese alltägliche Indifferenz des Daseins, Durchschnittlichkeit* (l'indifférence quotidienne du *Dasein,* médiocrité) et on se sent aussitôt mis en accusation, on est soi-même coupable de cette médiocrité quotidienne, qui est le propre, on sait bien de qui.

Bien entendu, le sens fondamental, à savoir que le *Seiende* (l'étant) ne dit rien du *Sein* (être), si ce n'est qu'il *west* (est par essence) en tant que *Sein,* donne à ce grand livre toute sa portée. Ces *Geschäftigkeit* (agitation affairée), *Angeregtheit* (excitabilité), *Interessiertheit* (être intéressé), *Genussfähigkeit* (côté jouisseur) (p. 43, 1ᵉʳ alinéa) n'étaient çà et là que des sortes d'intuitions passagères au fil de la lecture. Elles pouvaient tout aussi bien ne rien indiquer, à moins de se trouver confirmées d'une manière ou d'une autre.

Pourtant à la lecture je ne pus m'empêcher de me dire « suivez mon regard » car il n'était guère difficile de deviner qui pouvait bien être visé là, ou c'était ne rien entendre à l'allemand tel qu'il se parlait alors.

Ces trois termes désignent tout ce que visait du temps de la République de Weimar, l'extrême droite : die *Geschäftigkeit*, c'est-à-dire-les « affaires » et on sait bien qui fait les affaires ; die *Angeregtheit*, c'est l'incitation qui agite les esprits et les conduit à profiter de l'Allemagne, *das regt mich an* (ça m'excite), il y a là un côté *Ange bleu*, une superficialité bien connue de qui profite ; *l'Interssiertheit* est du même tonneau. La *Genussfähigkeit*, la composition verbale est d'ailleurs plutôt parlante, c'est la capacité à prendre du plaisir et de nouveau on sait bien qui en prend. Aucun des lecteurs de 1927 ne pouvait s'y tromper, était visé l'esprit républicain de l'époque, celui que défend pourtant dès 1921 Thomas Mann.

La lecture se fit par à-coups, par petits arrêts sur tel passage toujours bref qui paraissait confirmer cette impression encore imprécise mais dont les contours commençaient à se faire de plus en plus nets.

Cette impression devint définitive à la lecture du paragraphe 27 qu'il n'est pas question ici de citer en entier et dont la traduction française est bien en peine de rendre le ton, d'ailleurs assez différent de ce qui précède. Il serait à cet égard intéressant de faire une étude stylistique sur le changement de vocabulaire au fil du livre. Au cinquième alinéa de ce §27 intitulé *das alltägliche Selbstsein und das Man,* « L'être-soi quotidien et le on », on peut lire : « *Diese Durchschnittlichkeit in der Vorzeichnung dessen, was gewagt werden kann und darf, wacht über jede vordrängende Ausnahme. Jeder Vorrang wird geräuschlos niedergehalten. Alles Ursprüngliche ist über nacht als länghst bekannt geglättet. Alles Erkämpfte wird handlich. Jedes Geheimnis verliert seine Kraft... »* (Cette médiocrité dans le tracé préalable de ce qui peut être osé veille sur chaque exception qui se pousse en avant. Chaque grade plus élevé est sans bruit rabattu. Tout ce qui est originel est du jour au lendemain nivelé comme bien connu. Tout ce qui a été acquis par le combat devient maniable. Tout secret perd sa force.)

Bien entendu rien dans l'ensemble de ce paragraphe et des suivants, et c'est justement là ce qui est en question, n'impliquait un quelconque basculement dans le NS. Pourtant, dès cet instant la lecture ne pouvait qu'être vigilante, toujours nourrie de l'espoir qu'il n'en serait rien, puisque malgré des prémisses bien plus radicales, il n'en fut rien chez Thomas Mann, ou rien non plus chez Percival Reck-Malleczewen qui venaient, les deux derniers, plus ou moins du même horizon de pensée que Yorck von Wartenburg.

En 1959, les *Holzwege,* Chemins qui ne vont nulle part, (édité chez Klostermann) confirmèrent l'impression de la première lecture, en particulier *Wozu Dichter*, A quelle fin des poètes, où on peut lire : « *Das gewohnte Leben des jetzigen Menschen ist das gewöhnliche de Sichdurchsetzens auf dem schutzlosen Markt der Wechsler* »(p. 291) (La vie habituelle de l'homme d'aujourd'hui est celle habituelle de s'imposer contre vents et marées dans la foire d'empoigne des changeurs.)

En français, c'est une phrase comme une autre, plutôt banale et du genre « ma pauv'dame », en allemand, il en va tout autrement : *sich durchsetzen* (s'imposer) a très vite fait partie de la LTI[116], cela désigne souvent ceux, toujours les mêmes, qui se faufilent partout et prennent la place des autres. C'était à cette époque même une locution quotidienne: *da muss man sich eben durchsetzen* et tant pis pour les gens honnêtes, suivez mon regard. *Der schutzlose Markt der Wechsler*, c'est la foire d'empoigne des changeurs, or l'oreille allemande entend nécessairement après *Wechsler* qu'on n'emploie seul que pour mieux faire entendre ce *Wucherer*, qui le suit nécessairement. L'oreille allemande entend obligatoirement *Wechsler und Wucherer*, le *Wucherer*, c'est l'usurier et il n'est pas besoin de décrire quelle couche de la population pratique, et elle seule, l'usure.

En 1972 dans *Was heisst Denken*, « Que veut dire penser », quelques détails dans la transition des chapitres VI à VII (1951, pp. 63-65) étaient assez curieux et donnaient à penser. Ils ne laissaient aucun doute sur l'appartenance du philosophe à la droite, au moins de la CDU, ce qui ne voulait pas dire grand-chose, encore que le vocabulaire employé pouvait indiquer une position plus radicale. Plus explicite en tout cas était la transition des chapitres IV à V de 1952 (p. 159) et l'invite aux auditeurs de la conférence du 20 Juin 1952, d'aller le jour même à l'inauguration de l'exposition « Des prisonniers de guerre parlent ». Heidegger ajoute: « *Ich bitte Sie, hinzugehen, um diese lautlose Stimme zu hören und nicht mehr aus dem inneren Ohr zu verlieren* » (Je vous demande d'y aller pour entendre cette voix sans timbre et ne plus la perdre dans l'oreille interne). Il n'était pas fréquent que Heidegger intervînt ainsi, il fallait que le sujet lui importe tout particulièrement. Il s'agissait en effet des prisonniers de guerre allemands de retour (si l'on peut dire) d'Union soviétique, ceux qu'on appelait les *Spätheimkehrer,* « les rentrés tard ». Il était parfaitement justifié de leur consacrer une exposition, rien n'indique dans cette remarque, bien sûr, la moindre proximité de quelque ordre qu'elle soit avec le NS. Mais elle est curieuse car jamais le philosophe n'accorda pareille attention aux enfants victimes de l'euthanasie à Grafeneck ou Zwiefalten tout proches, sans parler du Struthof voisin. Cette mise en avant, toute particulière, était peut-être destinée à apparaître comme un désaveu de la victoire sur le nazisme. Dans le contexte de l'époque cette intervention était pour le moins ambiguë.

Sans ambiguïté aucune, en tout cas, deux passages de l'*Introduction à la métaphysique* qui se trouvent dans les éditions successives (1958,1966 ou 1976, p. 27) on peut lire : « *Oder "ist" der Staat in der Aussprache des Führers mit dem englischen Aussenministe?* » (Ou bien l'état « est »-il dans l'entrevue du Führer avec le ministre des Affaires étrangères anglais ?)

Le mot *Aussprache* signifie que Hitler avait le beau rôle et qu'il a dit son fait au ministre anglais, sinon on aurait employé *Unterredung* ou *Unterhaltung* ou même *Treffen* (rencontre), comme il est habituel dans ce genre d'informations.

Cet étrange paragraphe consacré à l'état hitlérien n'était pas là et n'a pas été gardé par hasard, il est un autre *Bekenntnis zu Hitler* rien que par l'emploi du mot *Der Führer* au lieu comme il aurait été plus neutre de *Kanzler* ou de *Staatsoberhaupt* ou simplement Hitler. Il y a par ailleurs dans tous ces textes une atmosphère particulière, un style et un vocabulaire qui sans explicitement faire dans la LTI ne laissent aucun doute sur l'orientation de base de l'auteur. Un certain public, en tout cas pour ce qui est des *Holzwege*, s'y reconnaissait aussitôt, ce qui bien entendu peut tout aussi bien ne pas être signifiant, mais n'en est pas moins parlant pour une oreille allemande.

Le second passage est bien connu, mais il convient néanmoins de le citer : « *Was heute vollends als Philosophie des Nationalsozialismus herumgeboten wird, aber mit der inneren Wahrheit und Grösse dieser Bewegung (nämlich mit der Begegnung der plantetarisch bestimmten Technik und des neuzeitlichen Menschen) nicht das Geringste zu tun hat, das macht seine Fischzüge in dxiesen trüben Gewässern der « Werte » und der «Ganzheiten» ».*

(Ce qui est aujourd'hui présenté de tous côtés comme la philosophie du national-socialisme et qui n'a pas la moindre chose à voir avec la vérité intérieure et la grandeur de ce mouvement (à savoir avec la rencontre de la technique planétairement déterminée et de l'homme contemporain), cela fait sa pêche dans ces eaux troubles des valeurs et des totalités.)

La fameuse parenthèse ne fait que souligner l'importance donnée au NSDAP qui seul bénéficie du mot *Bewegung* (mouvement) sans complément d'objet. Dès les années 1925 ou 1930 tout le monde savait de quoi on parlait avec ce mot. *Kennst Du die Meinung der Bewegung dazu?* (Connais tu l'avis du parti sur ce sujet?) ou bien *er ist bei der Bewegung* (Est-il au parti?). Le terme était surtout employé avant 1934. *Die Bewegung* veut à tous coups dire le NSDAP et, vu de l'intérieur, seuls les adhérents et partisans du parti employaient ce terme.

La présence du nazisme était de plus en plus pesante. Cette impression devint une certitude avec la publication par Guido Schneeberger dans *Nachlese zu Heidegger* (Glanes heideggériennes) des quelques textes nazis dont on pouvait à cette époque avoir connaissance. On sait depuis que la liste s'en est considérablement allongée. Landgrebe qui s'indigna d'abord de mes soupçons finit, c'était, je me le rappelle parfaitement, en 1954, par reconnaître qu'en effet son collègue Heidegger avait été plus que très proche des nazis.

L'année suivante, libéré de mes obligations militaires, je passai plusieurs mois à Fribourgen-Brisgau, chez ma marraine. Elle habitait Wintererstrasse et avait pour amie l'ancienne logeuse de Husserl, Lorettostsrasse. À cette époque j'étais en train de reprendre un travail universitaire de DES sur *Le problème de l'existence chez Kleist et chez Kafka* dont je voulais faire un livre et je m'étais replongé dans *Sein und Zeit,* surtout dans les §§ 9 à 13 qui sont définitifs et essentiels même pour un non-philosophe. Je manifestais mon enthousiasme à cette vieille amie de ma marraine, Mme Feist, qui me dit ne le partager nullement. Lorsque Husserl, déjà âgé de quatre-vingt ans, faisait ses bagages pour l'Angleterre, elle proposa à Heidegger de réquisitionner son appartement pour la faculté des lettres *(philosophische Fakultät)*, Husserl pourrait ainsi mourir en paix, Heidegger refusa.

Ces documents et ces faits devenaient de plus en plus troublants et inquiétants pour un lecteur de langue allemande, qui a l'allemand pour langue d'écriture et dont l'âme est faite d'Allemagne, une Allemagne qui lui fut rendue par la grâce miraculeuse de la langue française. Il y avait là un véritable méfait, un crime de fond commis comme un démentiel retournement contre la langue, contre l'existence allemande comme allemande.

La question devenait peu à peu lancinante qu'est-ce qu'a à nous dire une pensée si essentielle et si essentiellement compromise, comme si elle s'était mise à ne plus du tout se comprendre elle-même, comme si elle n'était que sa propre extermination. C'est bien plus tard que je verrai ce terme de

Ausrottung (extermination), en effet, figurer dans un texte philosophique, le texte 14 du vol. 39, sans parler d'ailleurs des détournements de ses propres textes politiques, comme à la fin de *Die Grundfrage der Metaphysik* (*Einführung*, La question fondamentale de la métaphysique, Introduction, p. 38).

Vers 1974, lors d'un séjour de Toussaint chez Landgrebe, je lui demandai si la photographie de Heidegger portant le *Hoheitsabzeichen* du NSDAP à sa veste, lui disait quelque chose. Il me fit remarquer le curieux triangle noir au bas de la photo qui cachait, disait-il, la main de Heidegger posée sur un exemplaire de *Mein Kampf,* hommage qui ultérieurement a dû paraître un peu trop voyant.

Après 1945 il y aura la tentative permanente de rendre le NS *salonfähig* (fréquentable) dans de nombreux textes plus ou moins longs tels que le célèbre *Gelassenheit* (Sérénité) où il est redoutablement question de *bodenständig* (attaché au sol) et de *Herkunft* (origine) et d'un programme politique très précis, puisqu'on y trouve le terme *Mitteldeutschland* (Allemagne centrale). En 1959 ce terme ne pouvait tromper personne, il signifiait que les territoires au-delà de la ligne Oder-Neisse, l'actuelle frontière germano-polonaise, étaient encore considérés comme allemands. Ce n'est, vu le contexte, nullement, une simple façon de parler, ce serait bien étonnant chez un esprit de l'envergure de Heidegger.

De nombreux détails révèlent ainsi l'orientation profonde de cette pensée. Dès la première lecture des *Holzwege*, même si *Sein und Zeit* ne l'impliquait pas encore de façon irréversible, il était évident que Heidegger était une sorte de poète paysan mais surtout un « *alter Kämpfer* » (Ancien combattant du parti), comme on disait dans les rangs du NSDAP. Il y avait là un accent qui ne trompait pas, une façon d'utiliser l'allemand dont la description est difficile en français. Il y a chez Heidegger confusion entre germanité et philosophie, une germanité en réalité incertaine et qui ne peut s'affirmer que par le ressentiment et la dénonciation.

Les dispositions grammaticales sont particulières et ne trompent pas comme l'alternance *Nicht…sondern* (non pas…mais)ou *Wenn dann (si…alors)*, le fait de débuter les phrases par la principale et par l'article défini, la manière dont sont formés les matériaux linguistiques, le recours à certains mots codés.

La terminologie heideggérienne est dès S/Z très proche de cette novlangue qui s'imposera à partir de 1933 et qu'il fut le seul à articuler philosophiquement, c'est-à-dire à lui donner des assises de pensée dépassant les stupidités proprement hitlériennes.

Il suffit de lire les textes, comme par hasard les plus célèbres de l'après-guerre, pour voir à quel point Heidegger est dans la langue national-socialiste, telle qu'elle n'avait plus besoin de la référence expresse à Hitler, telle qu'elle figurait encore dans les textes de 1934 et si souvent après encore. C'est désormais la LTI à l'état pur, du genre météo *abklingende Schauerwelle* (vague pluie qui diminue), cette langue cauteleuse et brutale de *Hebel der Hausfreund* (Hebel, l'ami de la maison), de *Gelassenheit* (Sérénité) ou de *Die Technik und die Kehre* (La technique et le Retournement), ce qui, bien entendu, et tout le problème est là, ne peut absolument pas apparaître en français.

La lecture des *Holzwege*, on l'a vu, est à soi seule suffisamment effrayante, en 1957, pour qu'un lecteur attentif ne se pose pas de questions, mais celle de *Gelassenheit* l'est tout autant. La constante référence à la *Bodenständigkeit*, à *Volk der Dichter und Denke* (Le peuple des poètes et des penseurs) était pourtant devenue, et toute l'Allemagne le savait, *das Volk der Richter und Henker* (le peuple des juges et des bourreaux). Les territoires devenus polonais, Heidegger les appelle « Allemagne centrale » (*Mitteldeutschland*) sans référence aucune aux victimes de l'univers concentrationnaire.

Pour terminer par le cœur du débat, il faut croire que quelque chose d'essentiel était en jeu pour que les philosophes français dans leur grande majorité refusent avec obstination d'aborder ce fait tant sur le plan philosophique que politique. Probablement l'un et l'autre se confondaient, si bien qu'il n'y a avait plus rien à sauver. Il n'était plus possible de dire que l'un ou l'autre de la philosophie ou du nazisme étaient insignifiants; Heidegger nous l'a fait savoir, sa pensée est bien celle du *Volk*, du *Reich*, du *Führer*.

Il est tout de même redoutable d'être obligé de se dire que la pensée la plus importante de ce siècle ou du moins qu'on ne cesse de donner pour telle, soit justement celle qui se soit compromise à ce point avec le crime absolu, au point qu'on peut se demander si cette pensée là n'est pas intimement liée à Auschwitz et à l'euthanasie. C'est pourquoi il faut la lire avec attention car c'est peut-être en elle qu'on peut lire ce que fut l'extermination définitive de l'humanité, la *endgültige Abschaffung der Menschheit.*

On peut se demander si à force d'avoir voulu, un autrement de la langue, il n'a pas forcé le trait philosophique, si à force il n'a pas programmé un autrement trop voulu, trop proclamé pour ne pas être aspiré avalé par le redoutable autrement d'à côté. Dès le départ Heidegger ne s'est pas trompé d'écart, son adhésion est le fond même de cette pensée, sa *Bodenständigkeit,* si bien qu'il s'est trompé sur sa propre pensée. Tout se passe comme si dès le départ par ressentiment contre ce qu'il croyait être l'Allemagne enjuivée comme il le dit, il s'était non pas trompé de manière radicale sur son propre objet de pensée, aveuglé qu'il était par un ressentiment inextinguible, mais engagé délibérément dans une condamnation irrévocable de tout ce qui a jusqu'ici constitué l'être humain tel qu'il se reconnaît pour tel. Il s'agit pour lui en fait de la constitution d'un nouvel ordre de soumission dont l'*Ausrottung,* l'extermination, qu'il revendique pour la métaphysique occidentale et la philosophie en général finira par se faire réalité. Tout se passe comme si la pensée qu'on nous dit être la plus importante de ce siècle s'était irréductiblement enferrée dans sa propre mise à mort.

Notes

1. C'est la première phrase de l'Evangile de Jean, or la Genèse commence par *Am Anfang schuf Gott Himmel und Erde. Im* (dans = compl. d'obj.. direct accusatif) signifie que tout est déjà donné, que la parole est déjà là; or le début de la Genèse ne dit pas *dans (Im)*le commencement mais *au* commencement. Dés lors tout est dans la parole, d'où le « *im* » de Jean.

2. Voir Michel Foucault, *Les Mots et les choses*, Paris, Gallimard, 1966.

3. Christian Morgenstern, *La Chanson du gibet*, trad. fr. Jacques Busse, Le temps qu'il fait, 2001.

4. L'allemand, on l'a vu, établit un cadastre précis de ce qu'il dit. Il en formule l'enveloppe visible, matérielle, d'où peut naître l'illusion de son appropriation particulière à l'expression du réel, et peut conduire aux égarements philosophiques que l'on sait, l'aspect concret de l'allemand n'est pas sa « vérité ».

5. Georges-Arthur Goldschmidt, *Quand Freud voit la mer* (1988) et *Quand Freud attend le verbe* (1996), tous deux chez Buchet-Chastel, réédités en 2006.

6. Ludwig Wittgenstein, *Philosophische Grammatik*, Francfort, Suhrkamp Taschenbuch, 1978, p. 71, trad. fr de M.-A. Lescourret : Grammaire philosophique, Paris, Gallimard, Coll. « Folio Essais », 2001.

7. Martin Buber, *Erzählungen der Hassidim*, Zürich, 1949 ; Les Récits hassidiques, Paris, Le Rocher, 1998.

8. Maurice Olender, *Les Langues du paradis, sémites et aryens, un couple providentiel*, Paris, Le Seuil, 1989.

9. Wilhelm von Humboldt (1767-1835), « *Über das verglei-chende Sprachstudium in Beziehung auf die verschiedenen Epochen der Sprachentwicklung* » *(*1820), Essai sur l'étude linguistique com-parée selon les diverses époques du développement linguistique.

10. *Ibid.*, « *Der Mensch ist nur Mensch durch Sprache : um aber die Sprache zu erfinden,müsste er schon Mensch sein* ».

11. *Ibid.*, p 222.

12. Ludwig Wittgenstein, *Philosophische Grammatik, op. cit.*, p 66.

13. Et un peu plus loin il ajoute: « La ressemblance était la forme invisible de ce qui, du fond du monde rendait les cho-ses visibles. » Michel Foucault, *Les Mots et les choses*, Paris, Gallimard, 1966, pp 40-41.

14 Henri Bergson, *L'Évolution créatrice, Œuvres*, Edition du centenaire, Paris, PUF, p 630.

15 André Robinet, *Le Langage à l'âge classique*, Paris, Klincksieck, 1978, p 17.

16. St Augustin, *La Trinité*, livre IX, I2, in *Œuvres*, Paris, Gallimard, Coll. « La Pléiade » III, p 501.

17. André Robinet, *op. cit.*, p 26.

18. Voilà encore une belle occasion pour faire voir la différence entre le français et l'allemand : *accomplir* dit tout et ne fait rien voir, alors que *vervollständigen* (accomplir) c'est remplir complètement quelque chose qui est debout (une sorte de bahut, en somme !).

19. C'est la grande préoccupation de Malebranche dans la *Recherche de la vérité* (1674), comme le rappelle André Robinet.

20. Ici André Robinet (p. 19) cite Saint Augustin.

21. Voir sur ce pervertissement de l'allemand le livre de Victor Klemperer, *LTI La langue du IIIe Reich*, Pocket, coll. « Agora », 2003, trad.fr. Elisabeth Guillot. Heidegger fut un exemple particulièrement criant de dérive du philosophique vers le criminel.

22. Edmund Husserl, *Die Krisis der Europäischen Wissenscahften* II, a) 9, trad. fr. La Crise des sciences européennes et la phénoménologie transcendantale, Paris, Gallimard, coll. « Tel », 1989.

23. Claude Michel Cluny, *La mort sur l'épaule*, p 79.

24. Flaubert, *Madame Bovary*, XII.

25. Dans un intéressant article de la revue *Merkur* (Juin 2002) Rüdiger Görner fait remarquer que selon Wittgenstein la nature d'une phrase est de donner lieu à une autre.

26. Paul Valéry, *Cahiers* (I), Langage, Cahiers, Paris, Gallimard, Coll. « La Pléiade », p 389.

27. Cf. Fichte *Reden an die deutsche Nation* Discours à la nation allemande qui datent de 1808 (Meiner, Hambourg, 1978), trad. fr. Alain Renault, Discours à la nation allemande, Paris, Imprimerie nationale, Coll. « La Salamandre », 1992.

28. *Ibid.*, p 396.

29. *Ibid.*, p 400.

30. Wilhelm Schapp, *In Geschichten verstrickt* (Intriqué dans des histoires), Hambourg, 1953.

31. Edmund Husserl, *Die Krisis der europäischen Wissenschaften*, (1937)§33-38) La Haye 1976, trad.fr. Gérard Granet . La crise des sciences européennes et la phénoménologie transcendantale, Paris, Gallimard, Coll. « Tel ».

32. « Entendement » est ici pris au sens de compréhension, d'intellection.

33. Jean-Paul Resweber, *La Philosophie du langage*, Paris, PUF, coll. « Que sais-je ? ».

34. C'est la dernière phrase du chapitre 10 du *Liseur* de Bernhard Schlink suivie de sa traduction littérale, mot à mot, à titre d'exemple de la construction de la phrase allemande. Voir B. Schlink, *Le Liseur*, Paris, Gallimard, Coll. « Folio », 199, trad. fr. Bernard Lortholary.

35. Humboldt, *Über die Verschiedenheiten des menschlichen Sprachbaues* (Essai sur les diversités de la construction linguistique humaine) 1827-1829.

36. *Ibid.*, p 27.

37. Henri Bergson, *L'énergie spirituelle* (L'effort intellectuel).

38. Paul Valéry, *Cahiers* (I) *Langage, op. cit.*, p 473.

39. Wittgenstein a tout dit sur le « comprendre », thème inépuisable, dans *La Grammaire philosophique*.

40. Arnaud & Nicole, *La Logique ou l'art de penser*, Paris, Flammarion, Coll. « Champs Flammarion », p 143.

41. Paul Valéry, *Cahiers* 1, *op. cit.*, p. 385.

42. Henri Bergson, *Les Données immédiates de la conscience*, p. 87, in *Œuvres*, Paris, PUF, Edition du Centenaire, 1970.

43. Emmanuel Levinas, « Le Dit et le Dire », in *Le Nouveau commerce*, n°18-19, printemps 1971.

44. Wilhelm von Humboldt, *Über die Verschiedenheiten des menschlichen Sprachbaus*, p. 222.

45. André Robinet, *op.cit.*, p. 47-49.

46. W.v. Humboldt, « L'étude comparative des langues, *op. cit.*

47. Max Picard, *Der Mensch und das Wort*, p 66 (L'homme et le mot). Max Picard a aussi écrit un autre livre sur le langage *Die Welt des Schweigens*, Le monde du silence. En allemand il y a deux mots pour désigner le silence, *die Stille*, le silence des choses et *das Schweigen*, le silence des mots. Il est d'ailleurs remarquable que le militant nazi Heidegger se soit sérieusement inspiré, après 1945, de Max Picard pour se donner l'air de ne pas l'avoir été.

48. *Sprechen> Die Sprache*= le parler, mais aussi le langage, comme on l'a vu.

49. L.Wittgenstein, *op. cit* ., p 40. Wittgenstein joue ici sur l'identité entre parler et langue en allemand, *Sprechen et Sprache.*

50. Peter Handke, *Don Juan*, trad. fr. Georges-Arthur Goldschmidt, Paris, Gallimard, Coll. "Du monde entier", 2006.

51. C'est, on le sait, la dernière phrase de l'esquisse du plan d'ensemble de la dernière partie de *Bouvard et Pécuchet*, à lui seul une des œuvres les plus extraordinaires qu'on puisse lire.

52. Ludwig Wittgenstein *Philosophische Untersuchungen*, §256, trad. fr. Recherches philosophiques, Paris, Gallimard, Coll. « Bibliothèque de philosophie », 2005.

53. *Ibid.*, § 531.

54. Wittgenstein, *Philosophische Grammatik, op. cit.*, I, V 84, p 2.

55. Tel est finalement l'objet de *l'analytique transcendantale* de Kant dans La *Critique de la Raison pure.*

56. « L'existence dont nous sommes le plus assurés et que nous connaissons le mieux est la nôtre, car de tous les autres objets nous avons des notions qu'on pourra juger extérieures et

superficielles, tandis que nous nous percevons nous-mêmes inté-rieurement, profondément » *L'Evolution créatrice*, début du chapi-tre premier, in *Œuvres, op. cit.*, p. 495.

57. C'est la première phrase de la *Grammaire philosophique*, la difficulté de traduction vient de l'emploi du neutre « es » qui correspond à un « il » indéterminé (il pleut) : « *Ist es nicht erst ein Satz wenn man es versteht ?* », « n'est-ce pas seulement une phrase que lorsqu'on la comprend ? » C'est le « es », cet « il » qui indique ce qu'il y a à comprendre.

58. Kafka « Il », notations de l'année 1920.

59. Paul Valéry, *Cahiers* (1), *op. cit.*, p. 142, note de 1934 ou 1935.

60. Y a-t-il une relation entre opacité et inconscient. Ne pas comprendre peut aussi être un refus de comprendre .Il serait intéressant de s'interroger sur les relations entre refoulement et compréhension ?

61. C'est justement tout le sens de la démarche de Port-Royal et d'Arnauld, voir le livre cité de Robinet.

62. « Le bon sens est la chose du monde la mieux partagée: car chacun pense en être si bien pourvu, que ceux même qui sont les plus difficiles à contenter en toute autre chose n'ont point cou-tume de désirer plus qu'il n'en ont. » Personne avant lui n'avait dit de manière aussi nette : je suis le seul à penser, mais pour tout le monde c'est la même chose. Pascal lui laisse fuser ce que tente d'établir Descartes.

63. « Désemparement », voilà qui aurait été une belle tra-duction pour cette fameuse « *Hilflosigkeit* » qui embarrassa tant les analystes.

64. Karl Philipp Moritz, *Anton Reiser*, Paris, Fayard, 1986, troisième partie. Traduction magnifique par Georges Pauline.

65. Proust, *Le Temps retrouvé*, *A la Recherche du temps perdu*, Paris, Gallimard, Coll. « La Pléiade », t.III p 718.

66. Paul Valéry, *Mauvaises pensées et autres*, *Œuvres*, Paris, Gallimard, Coll. « La Pléiade », t. II, pp. 823-824.

67. De même André Robinet dans sa magnifique étude sur Port-Royal : « Comme l'idée de l'idée, le signe est adéquat à la définition qu'on en donne, mais sans que rien dans sa matérialité puisse garantir la vérité dont il porte le signe », André Robinet, *op. cit.*, p. 54.

68. Descartes, *Méditation métaphysiques*, Présentation et tra-duction de Michelle Beyssade, Paris, Le Livre de Poche, 1990.

69. Bergson, *L'Énergie spirituelle*, *op. cit.*, pp. 944-945.

70. Arnauld & Nicole, *La Logique ou l'Art de penser* (1666), *op. cit.*, p. 63.

71. Jean-Claude Brisville, *La Présence réelle*, Paris, Gallimard, 1954.

72. Il repose et repose sans cesse la question : « Que veut dire "comprendre un mot" ou Que veut dire comprendre le mot

"peut-être" ? - Est-ce que je comprends le mot "peut-être?" Et comment je juge que je comprends ? », Ludwig Wittgenstein, *Philosophische Grammatik, op. cit.*, p. 64.

73. *Ibid.*, p. 66.

74. « *Gesprochenes* », dit Wittgenstein, « du qui a été parlé » littéralement, ce qui a été prononcé suivi de « *Sprache* » qui est de même consistance, alors que « dire », « parler », et « langue » sont de nature différente et ne glissent pas de la même façon l'un dans l'autre.

75. Il n' y a pas tellement, bien sûr, de textes sur ce sujet, voir le travail de Nancy Hudson : « La belle et le bellum », in *Revue Internationale*, n° 32, 1992.

76. Jacques Lacan, *Des noms du père*, Paris, Le Seuil, 2005.

77. Le *Fremdwort* est non un mot importé, mais presque un mot ennemi : *Fremd* n'est pas *ausländisch* , n'est pas d'origine étrangère, mais étranger en soi. C'était le grand thème de la « philologie » allemande d'après 1870.

78. Pascal, *Pensées*, n° 383 (Brunschvicg).

79. *Ibid.*, n° 29.

80. Maine de Biran, Choix de textes, cité par Gilbert Romeyer Dherbey, Paris, 1974.

81. *Ibid.*, p. 154.

82. Maine de Biran, *op. cit.*

83. Max Picard, *Der Mensch und das Wort*, Zürich, 1955.

84. La langue ne s'y trompe pas, *das Versprechen* c'est à la fois la promesse et le lapsus.

85. L. Wittgenstein, *De la certitude*, Paris, Gallimard, 2006, trad.fr. D. Mayal-Sharrock.

86. Max Picard, *l'Homme du néant*, Paris 1947.

87. On a tenté de le montrer ailleurs, voir *Quand Freud voit la mer*, Paris, 1988, *Quand Freud attend le verbe*, Paris, 1996.

88. L'un dans Erzählungen (Récits) et raconte la rencontre d'avance échouée d'un jeune homme et d'une jeune fille qui s'éconduisent réciproquement et l'autre dans *Description d'un combat* raconte le refus de les engager qu'on oppose à de jeunes volontaires. Les deux récits ont donc le même titre.Voir *Die Erzählungen und andere ausgewählte Prosa. Herausgegeben von Roger Hermes*, Fischer Taschenbuch, 2006.

89. Patrice Loraux, « *Genre: philosophique. Essai de quelques fonctions et de leurs variations* », Revue de Métaphysique et de Morale, n° 4, oct.- déc. 1972.

90. Voir à ce sujet François Azouvi, *La Gloire de Bergson*, Paris, 2007, chapitre IV sur le « conventionnalisme ».

91. Günter Grass, *Mein Jahrhundert*, 1999 Göttingen, trad. fr.Claude Porcell, Mon siècle, Paris, Le Seuil, Coll « Points », 2001.

92. Si la psychanalyse s'occupe autant de la langue (Lacan en particulier), c'est que le désir sexuel et l'avant parler ne sont

peut-être pas la même chose du moins procèdent t-il du même *avant que de...*, de la même antériorité.

93. Bernard-Marie Koltès, «Une part de ma vie », cité dans *Le Monde* du 17-3-1999.

94. Marlène Zarader, *La Dette impensée, Heidegger et l'héritage hébraïque*, Paris, Le seuil, Coll. « L'ordre Philosophique »,1990, p. 234.

95. Ludwig Wittgenstein, *Recherches philosophiques*, § 109.

96. Martin Heidegger fut on le sait un nazi de la première heure les ouvrages sur le sujet sont désormais nombreux, voir en particulier Emmanuel Faye, *Heidegger, L'Introduction du nazisme dans la philosophie*, Paris, Le livre de poche, Coll. »Essais », 2007.

97. Traduit en 1834 par Félix Ravaisson et republié dans *Cahiers du Collège international de philosophie*, n° 6 (1988).

98. Peter Handke, Peter Hamm, *Vive les illusions*, Christian Bourgois, Paris, 2008.

99. En effet, le nombre précis est : 18 446 744 073 709 551 615. Cité d'après Jean Louis Cazaux (google).

100. Voir Emmanuel Faye, *op. cit.*

101. Marlène Zarader, *op. cit.*

102. G W Leibniz, *Unvorgreifliche Gedanken betreffend die Ausübung und Besserung der teutschen Spraqche* (Remarques préliminaires sur l'usage et l'amélioration de la langue allemande, cité à plusieurs reprises dans *Quand Freud voit la mer*, Paris, 1988.

103. Victor Klemperer, *LTI, la langue du Troisième Reich. Carnets d'un philologue, op. cit.*

104. Ruth Römer, *Sprachwissenschaft und Rassenideologie in Deutschland* (Science linguistique et idéologie raciale en Allemagne), Munich, 1984.

105. Michael Stürmer, *Das ruhelose Reich* (Le Reich sans repos), Severin-Siedler, 1983.

106. Martin Heidegger, in *Der Spiegel*, 31 mai 1976 p 217.

107. La question est de savoir si dès Luther il n'y eut pas une tentative virulente de « déjudaïser » le christianisme, de le transformer comme le firent en effet les nazis (*die deutschen Christen*) en une religion purement germanique, totalement coupée de ses racines bibliques en tant que judaïques et donc issues des Lois de Moïse. Il en était question avant Luther, du temps de l'Empereur Maximilien, lorsqu'il fut projeté d'éradiquer de façon radicale les texte bibliques en hébreu qui doivent leur survie, en particulier, à l'intervention de l'humaniste Reuchlin.

108. Cf. Hélène Merlin-Kajman, *La langue est-elle fasciste?*, Paris, 2003.

109. Edmund Husserl, *La Crise des sciences Européennes et la phénoménologie transcendentale*, § 2.

110. Patrice Loraux, *Le Tempo de la pensée*, Paris, Le Seuil, 1993.

111. Arnaud Villani, *Petites méditations métaphysiques sur la vie et la mort*, Paris, Hermann, 2008.

112. Michel Foucault, *Les mots et les choses*, Paris, Gallimard, 1966, p 309.

113. Ein *Geltungsjude*, un juif considéré comme tel, les lois dites de Nuremberg avaient établi qu'était considéré comme juif quiconque avait quatre grands-parents non baptisés chrétiens à leur naissance.

114. J'ignorais alors que cinquante-quatre ans plus tard ils tiendraient une si grande place dans mes séminaires de 2004 au Collège International de philosophie sur la langue de Heidegger.

115. Dans une lettre datée du 1ᵉʳ avril 1944 et publiée par la *Frankfurter Allgemeine Zeitung* du 20 Juin 2002, Thomas Mann dénonce le nazisme militant de Heidegger et se moque de cette *Jemeinigigkeit*, ce fait de l'ipséité de chacun, que Thomas Mann prononce à la manière berlinoise de « *Gemeinigkeit* » (canaillerie, bassesse, vilénie), *Gemeinheit.*

116. LTI, lingua tertii imperii, la langue du Troisième Reich, ce jargon qui prit possession de l'Allemagne entre 1933 et 1945 et ne disparut que très progressivment, il a été analysé en détail par Victor Klemperer dans son Journal. Voir *Journal 1933-1945*, Paris, Le Seuil, 2000, 2 vol.

117. Dès 1972 dans la revue *Allemagnes d'aujourd'hui*, j'ai établi le nazisme de Heidegger et chaque fois que je le pouvais je suis tant dans *Le Monde* que dans *La Quinzaine littéraire* ou ailleurs revenu sur ce thème.

Bibliographie sélective

Augustin (saint), *La Trinité*, in *Œuvres*, Paris, Gallimard, coll. « La Pléiade » 1998.

Arnaud et Pierre Nicole, *La Logique ou l'art de penser*, Paris, Gallimard, Coll. « Tel »,1992.

Bergson Henri, *L'Evolution créatrice*, Paris, PUF, Edition du centenaire, 1970.

Bergson Henri, *L'Energie spirituelle*, Paris, PUF, Edtion du Centenaire, 1970.

Buber Martin, *Erzählungen des Hassidim*, Zürich, 1949 : Les Récits hassidiques, Editions Le Rocher, 1998.

Cluny Claude Michel, *La mort sur l'épaule*, Genève, Rencontre, 1971,

Fichte, *Reden an die Deutsche Nation*, Hambourg, Meiner, 1978 : Discours à la nation allemande, Paris, Imprimerie nationale, Coll. « La Salamandre », 1992, trad.fr. Alain Renault.

Foucault Michel, *Les Mots et les choses*, Paris, Gallimard, 1966.

Goldschmidt Georges-Arthur, « Travail et national-socialisme », *Allemagnes d'aujourd'hui*, sept. 1973.

Goldschmidt Georges-Arthur, « Heidegger in Frankreich », *Frankfurter Rundschau*, 16/08/1982.

Goldschmidt Georges-Arthur, « Un livre d'Ernst Jünger, base théorique du nazisme », *Allemagnes aujourd'hui*, juil. 1985.

Goldschmidt Georges-Arthur, *Quand Freud voit la mer*, Paris, Buchet-Chastel, (1988) 2006.

Goldschmidt Georges-Arthur, *Quand Freud attend le verbe*, Paris, Buchet-Chastel, (1996) 2006.

Heidegger Martin, *Sein und Zeit*, M. Niemayer, 1941 (abrégé en S /Z) : *Etre et temps*, trad. fr. E. Martineau, Authentica (hors commerce), Paris, 1985 : trad. fr. F. Vezin, Paris, Gallimard, 1986 : 1990, Coll. « Tel ».

Heidegger Martin, *Der Weg zur Sprache* [conférence janvier 1959, Munich], in *Unterwegs zur Sprache*, Le Chemin vers la parole, trad. fr. F. Fédier, in *Acheminement vers la parole*.

Heidegger Martin, *Die Kehre*, in *Die Technik und die Kehre*, Neske, Pfullingen, 1962, p. 37-47: Le tournant, trad. fr. J. Lauxerois et C. Roëls, in *Questions IV*, Paris, Gallimard, 1976.

Humboldt Wilhelm von, *Sur le caractère national des langues et autres écrits sur le langage*, présentés, traduits et annoté par Denis Thouard, Paris, Le Seuil, Coll. « Points Essais », 2000.

Husserl Edmond, *La Crise des sciences européennes et la phénoménologie transcendantale*, Paris,

Gallimard, Coll. « Tel », 1989.

KAFKA, Œuvres complètes, Paris, Gallimard, Coll. « La Pléiade », 3 vol., 1976-1984.

KLEMPERER Victor, *LTI. La langue du IIIe Reich*, trad. fr. Elisabeth Guillot, Paris, Pocket, Coll. « Pocket Agora », 2003.

LEIBNIZ G. W., *L'Harmonie des langues*, présenté, traduit et annoté par Marc Crépon, Paris, Points-Seuil, 2000.

LORAUX Patrice, *Le Tempo de la pensée*, Paris, Le Seuil, 1993.

MORITZ Karl Philip, *Anton Reiser*, Paris, Fayard, 1986, trad. fr. Georges Pauline.

OLLENDER Maurice, *Les Langues du paradis. Sémites et aryens, un couple providentiel*, Paris, Le Seuil, 1989.

RESWEBER PAUL, *La philosophie du langage*, Paris, PUF, Coll. « Que Sais-je?, 1990.

ROBINET André, *Le langage à l'âge classique*, Paris, Klincksieck, 1978.

VALÉRY Paul, *Cahiers*, Paris, Gallimard, coll. « La Pléiade », t.1, *Langage*.

VILLANI Arnaud, *Petites méditations métaphysiques sur la vie et la mort*, Paris, Hermann, 2008.

WITGENSTEIN Ludwig, *Philosophische Grammatik*, Francfort, Suhrkamp, 1978 : Grammaire philosophique, Paris, Gallimard, coll. « Folio Essais », 2001.

WITTGENSTEIN Ludwig, *De la certitude*, Paris, Gallimard, 2006, trad.fr. D. Mayal-Sharrock, 2006.

WITTGENSTEIN Ludwig, *Recherches philosophiques*, trad. fr. F. Dastur, M. Elie, Paris, Gallimard, 2005.

Index

TABLE DES MATIÈRES

Explorations de la langue

Le linguistique – Un manque originel – L'intime ? – Le parcours du sens – Les embarras des mots – Hors nature – L'arbitraire du signe – La contrainte de la parole – L'avant-Babel ? – Dans l'après-coup

Une obsession allemande – La langue et le monde de vie – Prométhée et Sisyphe habitants de Babel – Comprendre ou le « bon sens »

Le dit et le dire – S'entendre – La communauté de la langue – L'anonymat du comprendre – La langue ne fait pas de mystère – Ne rien dire, montrer – Quand on ne comprend pas – Le problème n'est pas linguistique – La langue n'est pas un code – De quoi parlent les langues ? – Il y a quelqu'un

L'expérience du passage

Achevé d'imprimer en février 2009
sur les presses de la Nouvelle Imprimerie Laballery – 58500 Clamecy
Dépôt légal : février 2009 – N° d'impression : 901159

Imprimé en France

La Nouvelle Imprimerie Laballery est titulaire de la marque Imprim'Vert®